Módulo 13

Estudios Bíblicos

El Nuevo Testamento Testifica *de* Cristo *y* Su Reino

El Mesías Anunciado

. . . .

El Mesías Opuesto

. . . .

El Mesías Revelado

. . . .

El Mesías Justificado

Capstone Módulo 13: El Nuevo Testamento testifica de Cristo y Su Reino Libro de notas del estudiante

ISBN: 978-1-62932-113-4

Índice

Acerca del autor de la materia

El Rev. Dr. Don L. Davis es el Director Ejecutivo de The Urban Ministry Institute [El Instituto Ministerial Urbano y vicepresidente de *World Impact*. Asistió a la Universidad de Wheaton y la Escuela de Graduados de *Wheaton*, y se graduó con el grado summa cum laude tanto en su B. A. (1988) como en su M. A. (1989), en estudios bíblicos y teología sistemática, respectivamente. Obtuvo su Ph.D. en religión (Teología y Ética) de la Escuela de religión de la Universidad de Iowa.

Como Director Ejecutivo del Instituto y Vicepresidente Senior de *World Impact*, supervisa la formación de los misioneros urbanos, plantadores de iglesias y pastores de la ciudad, y facilita las posibilidades de formación para los obreros urbanos cristianos en la evangelización, igle-crecimiento, y misiones pioneras. También dirige los programas extensivos de aprendizaje a distancia del Instituto y facilita los esfuerzos de desarrollo de liderazgo para las organizaciones y denominaciones como la Confraternidad Carcelaria, la Iglesia Evangélica Libre de América, y la Iglesia de Dios en Cristo.

Ha sido un recipiente de numerosos premios académicos y de enseñanza, el Dr. Davis ha servido como profesor y docente en varias instituciones académicas finas, habiendo impartido conferencias y cursos de religión, teología, filosofía y estudios bíblicos en escuelas, como *Wheaton College*, Universidad de *St. Ambrose*, la Escuela Superior de Teología de *Houston*, la Universidad de Iowa de la religión, el Instituto Robert E. Webber de Estudios de adoración. Es autor de varios libros, programas de estudio y materiales de estudio para equipar a los líderes urbanos, entre ellos el currículo *Piedra Angular*, que consiste en dieciséis módulos de educación a distancia a nivel de seminario de TUMI, *Raíces Sagradas: Una cartilla para recuperar la Gran Tradición*, que se centra en cómo las iglesias urbanas pueden renovarse a través de un redescubrimiento de la fe ortodoxa histórica, y *Negro y humano: Redescubriendo al rey como recurso para la teología y ética negra*. El Dr. Davis ha participado en cátedras académicas, tales como el ciclo de conferencias *Staley*, conferencias de renovación como las manifestaciones *Promise Keepers*, y consorcios teológicos como la Serie de proyectos teológicos vívidos de la Universidad de Virginia. Recibió el Premio Distinguido *Alumni Fellow* de la Universidad de Iowa Colegio de Artes Liberales y Ciencias en el 2009. El Dr. Davis es también un miembro de la Sociedad de Literatura Bíblica, y la Academia Americana de Religión.

Acerca de la adaptación y traducción de la materia

Se intentará usar un lenguaje muy genérico. Cuando se empezó la adaptación al español de este currículo, se inició reconociendo la realidad de que el castellano tiene grandes variaciones aun dentro de un mismo país. Si bien es cierto que hay un consenso referente a nuestras reglas gramaticales, el tal no existe cuando se trata del significado o el tiempo de las palabras de uso común (por ejemplo, dependiendo de la región de un país, la palabra "ahora" pudiera significar tiempo pasado, presente o futuro). Aquellos que han tenido el privilegio de misionar transculturalmente, han experimentado claramente las pequeñas o enormes variaciones de este precioso idioma. Por esta razón, el estilo de adaptación y traducción que se emplea considera que, aunque se hable el mismo idioma, hay diferencias lingüísticas que deben ser reconocidas al adaptar el contenido de esta materia. Se ha hecho el intento, en este material, de usar un lenguaje propio, sencillo y claro; evitando comprometer los principios lingüísticos que los unen.

Se pretende usar reglas de puntuación que beneficien al estudiante. Por otro lado, por el hecho de que el contenido de este curso está dirigido a hombres y mujeres bivocacionales, comprometidos con el Reino de Dios, multiplicando iglesias en las zonas urbanas de la ciudad, que ya están marchando o han arribado a un ministerio de tiempo completo, se usarán reglas gramaticales de puntuación que agilicen la captación del contenido de una forma más efectiva.

Se procurará ampliar el vocabulario del estudiante. Ahora bien, con el fin de ampliar éste y enriquecer su lenguaje teológico, aun cuando suponemos que el estudiante no está familiarizado con tal vocabulario, se hacen redundancias para comunicar sus variaciones y hacer mejor sentido del mismo (algunas veces se anexa una nota al lado de la página para mayor claridad).

Acerca de la Biblia que usamos

Dado que el fin de este curso es el estudio teológico de la Palabra de Dios, se ha optado por utilizar traducciones de la Biblia que son esencialmente literales como la Reina Valera 1960 y la Biblia de las Américas, siendo éstas ampliamente aceptadas como Biblias de púlpito por la Iglesia. Se evita usar traducciones de equivalencia dinámica tal como la Nueva Versión Internacional, o paráfrasis bíblicas como Dios Habla Hoy, a menos que el énfasis sea interpretativo y/o se indique previamente.

En nombre de los autores, profesores, traductores, editores y publicadores, le presentamos este material con todo el voto de confianza que se merece. ¡Que su Palabra nunca regrese vacía!

~ Enrique Santis, traductor y presentador de Piedra Angular quien sirvió como director en el Ministerio Hispano de World Impact, Inc. por varios años.

Introducción al módulo

¡Saludos en el poderoso nombre de Jesucristo!

Sin duda alguna los asuntos más importantes para la vida de un líder cristiano, son la persona y las verdaderas enseñanzas de Jesús de Nazaret. No hay otro tema tan significativo o controversial como el significado de Su vida y ministerio. Este módulo está diseñado para introducirle a un análisis de "la vida de Jesús", centrado en los recuentos históricos de los Evangelios, comenzando con el anuncio de su nacimiento hasta la ascensión después de su muerte en el Calvario. Ningún otro estudio puede producir una mayor cosecha intelectual y espiritual que el enfocarse en los hechos históricos que rodean la vida, el ministerio, la pasión, la muerte, la resurrección y la ascensión de Jesús. ¡Él es el Mesías y el Señor de todos!

Nuestra primera lección, **El Mesías Anunciado**, se concentrará en un primer vistazo acerca de las perspectivas y procesos asociados con el estudio provechoso de la vida de Cristo. Luego, procederemos a ver los relatos del nacimiento, la infancia y la niñez del Mesías. Veremos que los Evangelios contienen relatos de los apóstoles en los que se revela que Jesús de Nazaret es el Mesías que cumple la promesa de Dios para salvación, redención y revelación. También observaremos cuidadosamente a uno de los escogidos de Dios para anunciar el ministerio del Mesías, Juan el Bautista. Terminamos nuestra primera lección considerando dos incidentes importantes referentes al anuncio de Jesús de su mesianismo: Su sermón inaugural en Nazaret y su primer milagro público en las bodas de Caná.

En nuestra segunda lección, **El Mesías Opuesto**, empezaremos viendo el contexto histórico que rodeaba a Jesús en el momento en que comenzó su ministerio público. Examinaremos la naturaleza del dominio romano del primer siglo y veremos cómo los diferentes partidos y sectas judías respondieron a Roma y a Jesús. Observaremos a los saduceos, los fariseos, los esenios, los zelotes y los herodianos. En el segundo segmento de esta lección, exploraremos el concepto judío del Reino de Dios en los tiempos de Jesús. Veremos cómo la nación de Israel, oprimida por poderes políticos, creyó que cuando el Mesías viniera, se manifestaría el Reino de Dios con poder, restaurando el universo material y salvando a la humanidad del control de Satanás. Por supuesto, Jesús proclamó el Reino presente y demostró cuál era su realidad, sanando y echando fuera demonios, revelando la presencia del Reino en su propia persona y ministerio.

La lección tres trata acerca de **El Mesías Revelado**, apuntando a comprender que el Mesías prometido se revela con poder en la persona de Jesús, mediante su vida perfecta, su carácter, su liderazgo ejemplar de los apóstoles y su abnegada sujeción al Padre Celestial. El mesianismo de Jesús queda en claro a través de su ministerio de enseñanza profética, pero también de sus grandiosas demostraciones de poder, tanto con señales y maravillas (milagros), como con encuentros espectaculares con demonios. Aquí también consideraremos brevemente el sufrimiento y la muerte de Jesús (su Pasión). Su muerte nos revela claramente que él es el Mesías prometido. También consideraremos la confesión de Pedro tocante a la verdadera identidad de Jesús, acompañada por la predicción de Jesús mismo acerca de su muerte y su decisión de ir a Jerusalén. Miraremos la entrada triunfal de Jesús en Jerusalén, su semana final en la cual se enfrentó con los líderes judíos y la pascua con los discípulos. Finalmente, miraremos los eventos que giran alrededor de su crucifixión y de su muerte, desde su agonía en el huerto de Getsemaní, hasta su sepultura después de morir en la cruz. Indudablemente, el sufrimiento y la muerte de Jesús nos dan un testimonio poderoso e innegable de su identidad como Hijo de Dios, como el Cristo de Dios, quien puede restablecer el derecho de Dios para gobernar sobre su creación y sobre toda la humanidad.

Finalmente, la lección cuatro trata acerca de **El Mesías Justificado.**[1] Esta lección considera tanto el significado de la resurrección del Mesías Jesús, como su importancia en nuestra teología y ministerio. Una vez que consideremos la evidencia de la resurrección, entonces examinaremos Sus diversas apariciones, comenzando con la resurrección de la tumba, hasta su aparición a los apóstoles en el mar de Galilea. Nada provee un testigo tan claro de la vindicación (o justificación) de la identidad mesiánica de Jesucristo que este inequívoco hecho: Jesucristo ha resucitado de la muerte.

Cerraremos este módulo con un estudio fundamental de la Gran Comisión, como una continuidad de la vindicación de la identidad de Jesús como Mesías, y la importancia de esta comisión en su relación tanto con el cumplimiento de la profecía como con la misión global. Durante cuarenta días después de su resurrección, Jesús demostró a los apóstoles la autenticidad de la misma a sus apóstoles, y prometió enviarles al Espíritu Santo para ayudarles a cumplir con tal comisión. Culminaremos nuestro estudio de la vida de Jesús observando la ascensión, la señal histórica final que da evidencia de la vindicación de Jesús como Mesías. Jesús de Nazaret es el Mesías de Dios.

Nuevamente, debemos entender que la profundidad de nuestro ministerio y liderazgo es proporcional a la profundidad de nuestro conocimiento de Jesucristo, el Mesías de Dios y el Señor de todo y de todos. Por lo tanto, que nuestro Dios y Padre le provea de hambre, pasión y disciplina, para convertirle en un maestro de la vida y ministerio de Jesús. Haciéndolo así, podrá ser Su discípulo y hacer discípulos de Jesús en su iglesia, en su ministerio y a donde quiera que Dios quiera guiarle.

Tome Su yugo y aprenda de él, esta es la clave para un liderazgo servicial y piadoso en Cristo.

"Para mí el vivir es Cristo y el morir es ganancia".

- *Rev. Dr. Don L. Davis*

[1] *Justificado o Vindicado: Usamos ambos adjetivos alternadamente para tratar de abarcar el hecho de que Jesús fue justificado por el Padre en respuesta a su obra en la cruz, y también vindicado por el Espíritu hasta la exaltación máxima sobre vivos y muertos, sobre poderes y dominios, en este siglo y en el venidero.*

Requisitos del curso

Libros requeridos y otros materiales

- Biblia y concordancia (es preferible para este curso la versión Reina Valera 1960 o La Biblia de las Américas. Sienta la libertad de utilizar traducciones *dinámicas* como por ejemplo la Nueva Versión Internacional, pero evite las paráfrasis, tales como Dios Habla Hoy, La Biblia al Día, La Versión Popular, etc.).

- Cada módulo de Piedra Angular ha asignado libros de texto, los cuales son leídos y discutidos a lo largo del curso. Le animamos a leer, reflexionar e interactuar con ellos con sus profesores, mentores y compañeros de aprendizaje. De acuerdo a la disponibilidad de los libros de texto (ej. libros fuera de impresión), mantenemos nuestra lista oficial de libros de texto requeridos por Piedra Angular. Por favor visite www.tumi.org/libros para obtener una lista actualizada de los libros de texto de este módulo.

- Papel y pluma para sus notas personales y completar las asignaturas en clase.

Porcentajes de la calificación y puntos

Asistencia y participación en la clase	30%	90 pts
Pruebas	10%	30 pts
Versículos para memorizar	15%	45 pts
Proyecto exegético	15%	45 pts
Proyecto ministerial	10%	30 pts
Asignaturas de lectura y tareas	10%	30 pts
Examen Final	10%	30 pts
Total:	100%	300 pts

Requisitos del curso

La asistencia a clase es un requisito del curso. Las ausencias afectarán su nota final. Si no puede evitar ausentarse, por favor hágalo saber anticipadamente a su mentor. Si no asiste a clase, será su responsabilidad averiguar cuáles fueron las tareas de ese día. Hable con su mentor acerca de entregar el trabajo en forma tardía. Gran parte del aprendizaje de este curso es llevado a cabo por medio de las discusiones en grupo; por lo tanto, es necesario que se involucre en las mismas.

Asistencia y participación en la clase

Cada clase comenzará con una pequeña prueba que recordará las ideas básicas de la última lección. La mejor manera de prepararse para la misma es revisar el material de su Libro de Notas y Tareas del Estudiante y las notas extraídas en la última lección.

Pruebas

Memorizar la Palabra de Dios es, como creyente y líder en la Iglesia de Jesucristo, una prioridad central para su vida y ministerio. Deberá memorizar relativamente pocos versículos; no obstante, los mismos son significativos en su contenido. Será responsable en cada clase de recitar (verbalmente o escribiéndolo de memoria) el versículo asignado por su mentor.

Versículos para memorizar

Las Escrituras son el instrumento poderoso de Dios para equipar a los creyentes con el objeto de que puedan enfrentar la obra ministerial a la cual Él los ha llamado (2 Ti.3.16-17). Para completar los requisitos de este curso, deberá hacer por escrito un estudio inductivo del pasaje mencionado en la página 10, es decir, un estudio exegético. Este estudio tendrá que ser de cinco páginas de contenido (a doble espacio,

Proyecto exegético

mecanografiado, en computadora o escrito a mano en forma clara) y tratar con uno de los aspectos del Reino de Dios que fueron subrayados en este curso. Nuestro deseo y esperanza es que se convenza profundamente del poder de la Escritura, en lo que respecta a cambiar y afectar su vida en forma práctica, al igual que la vida de aquellos a quienes ministra. Su mentor le detallará el proyecto en la clase de introducción al curso.

Proyecto ministerial

Nuestra expectativa es que todos los estudiantes apliquen lo aprendido en sus vidas y en sus áreas ministeriales. Éstos tendrán la responsabilidad de desarrollar un proyecto ministerial que combine los principios aprendidos con una aplicación práctica en sus ministerios. Discutiremos los detalles de este proyecto en la clase de introducción.

Asignaturas de clase y tareas

Su mentor y maestro le dará varias tareas para hacer en clase o en su casa, o simplemente deberá cumplir con las tareas del Libro de Notas y Tareas del Estudiante. Si tiene alguna pregunta sobre los requisitos o las fechas de entrega, por favor pregunte a su mentor.

Lecturas

Es importante que cumpla con las lecturas asignadas del texto y pasajes de la Escritura, a fin de que esté preparado para discurtir con facilidad el tema en clase. Por favor, entregue semanalmente el "Reporte de lectura" del Libro de Notas y Tareas del Estudiante. Tendrá la opción de recibir más puntaje por la lectura de materiales extras.

Examen Final para hacer en casa

Al final del curso, su mentor le dará el Examen Final el cual podrá hacer en casa. Allí encontrará preguntas que le harán reflexionar sobre lo aprendido en este curso, y cómo estas enseñanzas afectan su manera de pensar, o cómo practicar estas cosas en sus ministerios. Su mentor facilitará las fechas de entrega y le dará información extra cuando el Examen Final haya sido entregado.

Calificación

Las calificaciones finales se evaluarán de la siguiente manera, siendo guardadas cada una de ellas en los archivos de cada estudiante:

A - Trabajo sobresaliente	D - Trabajo común y corriente
B - Trabajo excelente	F - Trabajo insatisfactorio
C - Trabajo satisfactorio	I - Incompleto

Las calificaciones con las letras (A, B, C, D, F, I) se otorgarán al final, con los complementos o deducciones correspondientes; y el promedio alcanzado será tomado en cuenta para determinar su calificación final, la cual se irá acumulando. Las tareas atrasadas o no entregadas afectarán su nota final. Por lo tanto, sea solícito y comunique cualquier conflicto a su instructor.

Proyecto exegético

Como parte central de estudiar el módulo *El Nuevo Testamento Testifica de Cristo y Su Reino,* de los cursos Piedra Angular, se requiere que usted haga una exégesis (estudio inductivo) de un pasaje de la Biblia, basado en uno de los siguientes pasajes de la Palabra de Dios.

- ❒ Mateo 12.22-30
- ❒ Mateo 16.13-23
- ❒ Marcos 2.1-12
- ❒ Lucas 4.1-13

- ❒ Lucas 4.16-30
- ❒ Juan 11.1-46
- ❒ Lucas 24.36-48
- ❒ Hechos 1.1-11

El propósito de este proyecto es brindarle la oportunidad de hacer un estudio detallado de un pasaje significativo acerca de la naturaleza y función de la Palabra de Dios. El anhelo es que, a medida que estudia los pasajes antes citados (u otro texto que usted y su mentor han acordado), usted pueda demostrar cómo este pasaje ilumina o explica el significado de la Palabra de Dios para nuestra espiritualidad y nuestra vida en la iglesia. Esperamos también que el Espíritu Santo le ayude a conectar el significado de este proyecto directamente a su proceso personal de discipulado, como también al papel de liderazgo que Dios le ha dado en su iglesia y ministerio.

Este es un proyecto de estudio bíblico, así que, a fin de hacer *exégesis*, debe comprometerse a entender el significado del pasaje en su propio contexto, es decir, el ambiente y situaciones donde fue escrito, o las razones que originaron que se escribiera originalmente. Una vez que entienda lo que significa, puede extraer principios que se apliquen a todos y luego relacionar o conectar esos principios a nuestra vida. El siguiente proceso de tres pasos puede guiar su estudio personal del pasaje bíblico:

1. ¿Qué le estaba diciendo *Dios a la gente en la situación del texto original?*

2. ¿Qué principio(s) verdadero(s) *nos enseña el texto a toda la gente en todo lugar,* incluyendo a la gente de hoy día?

3. ¿Qué *me está pidiendo el Espíritu Santo que haga con este principio aquí mismo, hoy día,* en mi vida y ministerio?

Una vez que haya dado respuesta a estas preguntas en su estudio personal, usted estará preparado para escribir los hallazgos de su incursión reflectiva en su *proyecto exegético.*

El siguiente es un *ejemplo del bosquejo* para escribir su proyecto:

1. Haga una lista de lo que cree que es *el tema o idea central* del texto que eligió.

2. *Resuma el significado* del pasaje completo (puede hacérlo en dos o tres párrafos), o si usted prefiere, escriba un comentario de cada versículo elegido.

3. *Bosqueje de uno a tres principios* que el texto provea sobre como el NT testifica de Cristo.

4. Comente cómo uno, algunos, o todos los principios, pueden relacionarse con *una o más* de las siguientes áreas:

   a. Su propia espiritualidad y caminar con Cristo

   b. Su vida y ministerio en la iglesia local

   c. Situaciones y desafíos en su comunidad y la sociedad en general

Para asistirle, por favor siéntase en libertad de leer los textos del curso y/o comentarios, e integre esas ideas o principios a su proyecto. Por supuesto, asegúrese de dar crédito a quien merece crédito, si toma prestado o construye sobre las ideas de alguien más. Puede usar referencias en el mismo texto, notas al pie de página o notas en la última página de su proyecto. Será aceptada cualquier forma que escoja para citar sus referencias, siempre y cuando 1) use sólo una forma consistente en todo su proyecto, 2) indique dónde está usando las ideas de alguien más y déle crédito por ellas. Para más información, vea *Documentando su Tarea: una regla para ayudarle a dar crédito a quien merece crédito* en el Apéndice.

Asegúrese que su proyecto exegético cumpla las siguientes normas al ser entregado:

- Que se escriba legiblemente, ya sea a mano, a máquina o en computadora

- Que sea el estudio de uno de los pasajes bíblicos mencionados anteriormente

- Que se entregue a tiempo y no después de la fecha y hora estipulada

- Que sea de 5 páginas de texto

- Que cumpla con el criterio del *ejemplo del bosquejo* dado antes, claramente formulado para la comprensión de quien lo lea

- Que muestre cómo el pasaje se relaciona a la vida y ministerio de hoy

No deje que estas instrucciones le intimiden. ¡Este es un proyecto de estudio bíblico! Todo lo que necesita demostrar en este proyecto es que *estudió* el pasaje, *resumió* su significado, *extrajo* algunos principios del mismo y lo relacionó o conectó a su propia vida y ministerio.

Calificación El proyecto exegético equivale a 45 puntos y representa el 15% de su calificación final; por lo tanto, asegúrese que su proyecto sea un estudio excelente e informativo de la Palabra.

Proyecto ministerial

La Palabra de Dios es viva y eficaz, y penetra y discierne los pensamientos y las intenciones del corazón (Heb. 4.12). Santiago, el apóstol, enfatiza la necesidad de ser hacedores de la Palabra de Dios, y no oidores solamente, engañándonos a nosotros mismos. Somos exhortados a aplicar la Palabra y obedecerla. Omitir esta disciplina, sugiere Santiago, es similar a una persona que mira su propia cara en un espejo; luego se va y se olvida de lo que es (su crecimiento y sus fallas), y lo que debe ser (la expectativa de ser como Cristo). En cada caso, el hacedor de la Palabra de Dios será bendecido por medio de lo que hace con la misma (Stg. 1.22-25).

Nuestro deseo sincero es que aplique lo aprendido de manera práctica, correlacionando su aprendizaje con experiencias reales y necesidades en su vida personal, conectándolo a su ministerio en y por medio de la iglesia. Por esta razón, una parte vital de completar este módulo es desarrollar un proyecto ministerial para ayudarle a compartir con otros las ideas y principios que aprendió en este curso.

Hay muchas formas por medio de las cuales puede cumplir este requisito de su estudio. Puede escoger dirigir un estudio breve de sus ideas con un líder de su iglesia, escuela dominical, jóvenes o grupo de adultos o de estudio bíblico, o en una oportunidad ministerial. Lo que tiene que hacer es discutir algunas de las ideas que aprenda en clase con un grupo de hermanos (por supuesto, puede usar las ideas de su proyecto exegético).

Sea flexible en su proyecto; sea creativo y no ponga límites. Al principio del curso, comparta con su instructor acerca del contexto (circunstancias: grupo, edades, cuanto tiempo, día y hora) donde va a compartir sus ideas. Además, antes de compartir con su grupo, haga un plan y evite apresurarse en seleccionar e iniciar su proyecto.

Después de efectuar su plan, escriba y entregue a su mentor un resumen de una página, o una evaluación del tiempo en el que compartió sus ideas con el grupo. El siguiente es un bosquejo ejemplar de su resumen o evaluación:

1. Su nombre

2. El lugar y el nombre del grupo con quien compartió

3. Un resumen breve de la reunión, cómo se sintió y cómo respondieron ellos

4. Lo que aprendio

El proyecto ministerial equivale a 30 puntos, es decir, el 10% de su calificación total; por lo tanto, procure compartir el resumen de sus descubrimientos con confianza y claridad.

Propósito

Planificación y resumen

Calificación

El Mesías Anunciado

Objetivos de la lección

¡Bienvenido en el poderoso nombre de Cristo Jesús! Después de leer, estudiar, discutir y aplicar los materiales en esta lección, usted podrá:

- Explicar las perspectivas fundamentales y los procesos asociados con un estudio provechoso de la vida de Cristo.

- Hacer un bosquejo de las historias claves asociadas con las narraciones del nacimiento, infancia y niñez de Jesús.

- Defender la idea que el Nuevo Testamento contiene relatos en los Evangelios que identifican la persona de Jesús de Nazaret como el Mesías, quien cumple la promesa de Dios para la salvación, redención y revelación.

- Proveer una explicación concisa del ministerio de Juan el Bautista como el escogido de Dios para anunciar el ministerio del Mesías a la nación de Israel.

- Describir la tentación de Jesús en el desierto, también el llamado de sus discípulos, y dos incidentes importantes referentes al anuncio del Mesías: el anuncio público sobre su mesianismo en Nazaret, y su primer milagro el cual atestigua de su mesianismo en las bodas de Caná.

Devocional

Al mundo paz, nació Jesús

Lea Isaías 9.6-7. ¿Podemos disfrutar del espíritu navideño todo el año, cada mes y semana, cada día del año? No es posible, sin embargo es importante que el discípulo de Jesús cultive este espíritu diariamente. La celebración de la Navidad está asociada con el primer advenimiento (venida) de Jesús el Mesías en su nacimiento. En el calendario de la iglesia, se celebra formalmente como una parte de la liturgia cristiana, con celebración formal, servicios especiales de adoración, y los coros antiguos y contemporáneos, himnos, y cantos con los cuales estamos tan familiarizados. Si bien esta celebración es apropiada e importante, la época en sí frecuentemente se obstaculiza con los atavíos de la comercialización y la avaricia. La Navidad misma fácilmente es asociada con el dar regalos, películas clásicas, fiestas de oficina, adornos y los atavíos de la época festiva. El Cristo de la Navidad se convierte en parte de un pesebre navideño a la entrada de alguna iglesia.

1

Realmente, la idea de la venida del Mesías a la tierra, y la confesión cristiana que Jesús de Nazaret es el Mesías de Dios, es una razón para alabar sin pausa y con un gozo infinito. Lo que el Nuevo Testamento declara es que la persona de Jesús es el cumplimiento de la promesa de Dios que enviaría un Señor y Salvador, quien pondría todas las cosas en orden, derrotaría al diablo, vencería a nuestro pecado, y finalmente triunfaría sobre todos los efectos de la maldición, restaurando así el universo al reinado perfecto de Dios. La historia de la venida de Jesús al mundo encaja con la teología del gran escritor de himnos Isaac Watts, quien escribiera tan elocuentemente en las primeras líneas de su bien conocido coro navideño, "¡Al Mundo Paz, Nació Jesús! ¡Nació ya nuestro Rey! El corazón ya tiene luz y paz su santa grey". Este canto resuena con la antigua palabra profética que Isaías pronunció en Israel siete siglos antes que naciera el Señor: un Rey vendría del linaje de David que reinaría y establecería justicia y juicio para siempre por medio del celo del SEÑOR de los ejércitos. Asombrosamente, ahora sabemos que Jesús de Nazaret, el supuesto hijo de José el carpintero de Nazaret, es el Mesías, del cual habló el profeta Isaías. La promesa de Dios ha sido cumplida, y el Reino ha venido en Su Persona.

¿Cuál es la respuesta correcta a esta proclamación asombrosa? Gozo. Intacto, desvergonzado, ilimitado. Los cristianos gozosamente deben proclamar y expresar la verdad notable que la promesa de Dios, la antigua palabra de esperanza creída por su pueblo por generaciones, ahora se ha cumplido con el nacimiento de un humilde niño en un pesebre. Si bien para algunos Jesús puede significar apenas un símbolo religioso o la oportunidad de recibir un regalo, para nosotros los que creemos, Él mismo es el Señor de todo, el Rey futuro de la tierra, el Hijo del Dios viviente. Él ha venido y le pertenecemos por la fe. El espíritu navideño no tiene por qué morir si entendemos en realidad quién es este Jesús: el mismo Señor de todo, venido al mundo, para liberar a los suyos del pecado y de la muerte. "Al mundo paz, nació Jesús. Nació ya nuestro Rey. El corazón ya tiene luz y paz su santa grey".

Después de recitar y/o cantar El Credo Niceno (localizado en el apéndice), haga la siguiente oración:

> *Dios Todopoderoso, rey celestial que mandaste a tu Hijo a la tierra, el cual tomó nuestra naturaleza al nacer en un pesebre en Belén: Acepta nuestra alabanza y permite, ya que hemos nacido de nuevo en Él, que por siempre more en nosotros y reine en la tierra como reina en el cielo junto a ti y al Espíritu Santo, ahora y por siempre.*

~La Iglesia de la Provincia de Sud África.
Minister's Book for Use With the Holy Eucharist and Morning and Evening Prayer.
Braamfontein: Publishing Department of the Church of the Province of South Africa. p. 23

El Credo Niceno y oración

Prueba	No hay prueba en esta lección.
Revisión de los versículos memorizados	No hay versículos para memorizar en esta lección.
Entrega de tareas	No hay tarea asignada en esta lección.

¿Es el Reverendo Moon el Mesías verdadero?

Los seguidores del Rev. Sung Yung Moon creen que él es el Mesías de Dios en la tierra. Es venerado, reconocido como el representante del Señor, y entienden que él es el cumplimiento de las profecías antiguas en cuanto al Mesías del Señor. Si bien muchos han rechazado su reclamación de ser el Mesías, muchos miles han abrazado su profesión, dándole su lealtad y apoyo incondicional. Si alguien preguntara su opinión acerca del Rev. Moon u otros que dicen ser el Mesías, ¿cómo completaría la siguiente declaración? "Sabemos que el Rev. Moon u otros que dicen ser el Mesías son impostores, ya que el verdadero Mesías, según las Escrituras será aquel que . . ."

La profecía mesiánica: No ha de tomarse ligeramente

En una cátedra reciente en el departamento de religión en una universidad del Estado, uno de nuestros líderes de jóvenes oyó una declaración que le causó gran angustia y duda. Al leer una redacción sobre la naturaleza profética de la Biblia, el profesor de religión que les visitaba declaró, "Sabemos que las Escrituras que usualmente se usan para respaldar la venida del Mesías no son ciertas en nuestro sentido moderno del término, ni tampoco se puede verificar que estas profecías estén de acuerdo con lo que denominamos los hechos de la historia. Las profecías en la Biblia generalmente fueron escritas después de los hechos; en otras palabras, los escritores y comentaristas escribieron acerca de eventos que ya habían ocurrido, pero lo hicieron como si aún fueran situaciones futuras". ¿Cómo contestaría las preguntas de sus estudiantes acerca de la seriedad de la profecía mesiánica en la Biblia?

¿Pudo haber pecado Jesús?

En una animada clase dominical sobre el evangelio de Marcos, un estudiante levanta la mano y pregunta sobre la naturaleza humana de Jesús. Al disertar sobre la tentación de Jesús en el desierto, el estudiante pregunta, "Si Jesús era un ser humano, así como nosotros en toda forma excepto que no cometió ningún pecado, ¿quiere decir eso que Él no pudo haber pecado en el desierto? Y si no pudo haber pecado, ¿fue realmente tentado?" ¿Cómo intentaría contestar la pregunta del estudiante en cuanto a la habilidad de Jesús para decir "¡Sí!" o "¡No!" a la tentación?

3

1

El Mesías Anunciado

CONTENIDO

Segmento 1: El nacimiento y la niñez de Jesús

Rev. Dr. Don L. Davis

Al estudiar la vida y persona de Cristo Jesús, debemos entender la importancia de la profecía como testigo de la identidad verdadera del Mesías. El concepto del Mesías es central para entender el Antiguo Testamento, la clave de la promesa a Abraham, y la renovación de ese pacto por medio de Isaac y Jacob, por medio de Judá y David, y finalmente con la historia de María, José, y Jesús de Nazaret. Un estudio diligente de las Escrituras debiera guiar al que busca a un conocimiento del clima histórico y las condiciones que ocurrían antes del nacimiento y la niñez de Jesús, y cómo esas condiciones y eventos afectaron sus primeros años en Israel.

Resumen introductorio al segmento 1

Nuestro objetivo en este segmento, *El nacimiento y la niñez de Jesús*, es permitirle que vea que:

- El estudio del Mesías está arraigado en el tema del Antiguo Testamento de la promesa y el cumplimiento de la misma a través del pacto de Dios con Abraham, y por medio de él con Isaac, Jacob, Judá y David.

- El clima histórico y las condiciones circundantes a la venida del Mesías eran críticas para su llegada al mundo.

- Las narraciones del nacimiento e infancia de Jesús proveen un conocimiento fundamental de la persona y la obra de Jesús, tanto en términos de su identidad como en su propósito de venir a la tierra como el Mesías de Dios.

El Nuevo Testamento revela en los relatos de los apóstoles en los Evangelios que la persona de Jesús de Nazaret es el Mesías, el escogido y ungido de Dios para cumplir su promesa de salvación, redención y revelación.

I   Prolegómeno, parte 1: Perspectivas fundamentales en el estudio de la vida de Cristo

A. La venida del Mesías en la profecía mesiánica: tema de la promesa y cumplimiento en el Antiguo Testamento

1. *Protoevangelium*. Gn. 3.15

2. El Mesías como guerrero y restaurador

3. El Mesías como profeta, sacerdote, y rey

a. El profeta como Moisés, Dt. 18.15-19

b. El sacerdote como Melquisedec, Gn. 14.18-20 con Heb. 7.17-21

c. El rey como David, 2 Sam. 7.4-17

B. La vida de Cristo debería verse a la luz del Pacto Abrahámico.

1. Gn. 12.1-3

2. Gn. 15.5-6

3. Gn. 17.4-8

C. El Mesías vendría, según la profecía, de la tribu de Judá, Gén. 49.10.

D. El Mesías vendría de la familia de David.

    1. 2 Sam. 7.16

    2. Sal. 89.34-36

II. Prolegómeno, parte 2: Procedimientos fundamentales para un estudio provechoso de la vida de Cristo

A. Comprométase a ser minucioso y riguroso: sea un obrero de la Palabra del Señor, 2 Tim. 2.15.

B. Enfóquese en la Escritura: el Nuevo Testamento provee un informe de la vida de Cristo que tiene autoridad, veracidad y es espiritualmente conmovedor.

    1. Juan 5.39-40

    2. Mt. 5.17-18

    3. Lc. 24.44-48

C. Integre su estudio en torno al Reino de Dios, Mc. 1.14-15.

D. Esté al tanto del clima histórico alrededor del tiempo de la venida de Jesús el Mesías.

Erich Sauer, *La aurora de la redención del mundo*. Eugene, Oregon: Wipf and Stock Publisher (2009). pág. 263.

1. Un tiempo de *centralización mundial* (comercio dentro del imperio en sí, organización política, gobierno global y supervisión militar)

2. Un tiempo de *unidad cultural mundial* (Influencia greco-romana, se usaba el griego koiné como lenguaje universal de negocios).

3. Un tiempo de *comercio mundial e intercambio* (interacción e inter conexión entre las provincias en términos de finanzas, comercio, e intercambio entre culturas, naciones y pueblos representativos).

4. Un tiempo de *paz mundial* (la conquista de Roma y el mundo entonces conocido)

5. Un tiempo de *desmoralización mundial* (diversos niveles de opresión romana, también diversos niveles de lealtad nacional a Roma)

6. Un tiempo de *mezcla mundial de religiones* (gran diversidad de creencias religiosas y prácticas espirituales)

E. Discierna la diferencia que existe entre el trato comprensivo y exhaustivo de la vida de Jesús en los Evangelios.

F. Haga del discipulado su propósito al estudiar la vida de Cristo, Mt. 28.19.

1. Siendo un discípulo de Jesús usted mismo (no meramente para tener un conocimiento teórico de la vida de Cristo), Juan 8.31-32.

2. Haciendo discípulos en el contexto de la Iglesia, Ef. 4.9-16.

El Nuevo Testamento testifica de Cristo Jesús: Los relatos del nacimiento y la niñez del Mesías

I. Los relatos del nacimiento de Jesús el Mesías

A. La certeza histórica de los Evangelios

   1. El principio de Lucas, Lc. 1.1-4

   2. Diferencias en los informes evangélicos

      a. El principio repentino de Marcos, Mc. 1.1-3

      b. Mateo y Lucas: el nacimiento del Mesías

      c. Juan el Apóstol: la palabra de Dios preexistente, Juan 1.1-3

B. La situación histórica de Lucas en cuanto al nacimiento de Jesús, Lc. 2.1-7

   1. ¿Dónde? En Palestina, en Judea, en la ciudad de David (Belén)

2. ¿Cuándo? Durante el tiempo de César Augusto, cuando Cirenio era gobernador de Siria, v. 1-2.

3. ¿Qué detalles?

a. José subió de Galilea, de la ciudad de Nazaret, v. 4.

b. A Judea, la ciudad de David, "Belén" v. 4

c. Censo global: José y su prometida fueron a empadronarse.

d. Jesús nace durante el viaje.

C. Los relatos fundamentales del nacimiento

1. Zacarías y Elizabet: la promesa del precursor del Mesías, Lc. 1.5-25

2. María y José: la promesa del Mesías

a. La promesa a María, Lc. 1.28-35

b. El dilema de José y su resolución, Mt. 1.18-25

3. El *Magníficat*: María visita a Elisabet, Lc. 1.39-56

4. El nacimiento de Juan el Bautista, Lc. 1.57-80

5. El nacimiento del Mesías

    a. El anuncio a los pastores, Lc. 2.1-20 (Luc. 2.10-14)

    b. Anonimato para el mundo: Dios revela el Mesías a los pobres y a los que no tienen prestigio.

6. La presentación en el templo: la infancia de Jesús

    a. Lc. 2.21-24

    b. Lev. 12.1-8

7. La visita de los magos, Mt. 2.1-12

    a. Hombres sabios del oriente, Mt. 2.1-2

    b. Adoración del Mesías y evasión de Herodes, Mt. 2.10-12

II. La niñez de Jesús de Nazaret

A. Cuadros selectos: la revelación de Jesús por el Espíritu Santo

1. Concisa

2. Particular

3. Significativa

B. El trayecto hacia Egipto: huyendo de la ira de Herodes, Mt. 2.13-23

   1. La cautela de los magos, 2.13

   2. El trayecto de Jesús hacia Egipto, comp. Os. 1.11

   3. Muerte de Herodes y regreso de José y su familia a Palestina

C. Jesús como adolescente: enseñando a los ancianos en el templo de Jerusalén, Lc. 2.39b-52

   1. Fervor espiritual

   2. Identidad Mesiánica

   3. Carácter perfecto (el cual creció, pasando de la niñez a la adolescencia), Lc. 2.40

   4. Crece y llega a ser un hombre maduro, Lc. 2.51-52

Conclusión

» Un estudio provechoso de la vida de Cristo demanda que se entiendan las perspectivas cruciales y los procesos fundamentales asociados con el estudio mesiánico y la Biblia.

» Jesús de Nazaret es el Mesías, como testifican los Evangelios los relatos de su nacimiento, infancia y niñez.

Por favor, tome todo el tiempo que tenga disponible para contestar estas y otras preguntas que el video haya hecho surgir. Cualquier estudio provechoso de la enseñanza bíblica sobre el Mesías avanzará si se tienen en claro los temas teológicos e históricos asociados con su venida. ¡Debe ser claro y conciso en sus respuestas, y siempre que sea posible, respáldelas con las Escrituras!

Seguimiento 1

Preguntas y reflexión acerca del contenido del video

1. ¿Cómo es que el tema *promesa y cumplimiento* del Antiguo Testamento nos ayuda a entender la importancia de relacionar la venida del Mesías con las profecías del Antiguo Testamento?

2. ¿Cómo se relaciona la venida del Mesías con la promesa dada a Abraham, Isaac, y Jacob? ¿Cómo se relaciona con la promesa dada a Judá y a David?

3. ¿Por qué es importante basar su entendimiento del Mesías en las *Escrituras del Antiguo Testamento*? Explique.

4. ¿Cómo se conecta la idea del Reino de Dios con nuestro estudio del Mesías?

5. ¿Qué deberíamos creer en cuanto a la *precisión histórica* de los Evangelios en referencia a los relatos del nacimiento de Jesús?

6. ¿Cuáles son algunas de las ideas claves que aprendemos en base a los relatos del nacimiento y la infancia de Jesús en el Nuevo Testamento? ¿Cuáles son algunas de las maneras en las cuáles estas historias identifican a Jesús en relación a la promesa del Mesías?

7. En su opinión, ¿Por qué los Evangelios no nos proveen un comentario "con puntos y comas" sobre todos los episodios del comienzo de la vida de Jesús? Explique su respuesta.

8. Describa los eventos y el propósito que circundaron la huida de María y José a Egipto. ¿Qué impulsó este cambio de planes y cuándo regresaron a Palestina?

9. ¿Qué aprendemos acerca de la personalidad y el llamado de Jesús en el incidente cuando que enseña a los ancianos en el templo de Jerusalén? ¿Cómo se describe Jesús a Sí mismo en este episodio?

10. En los informes de Lucas sobre la crianza de Jesús, ¿Qué aprendemos del crecimiento del niño Jesús, el cual lo llevó a ser un hombre?

El Mesías Anunciado

Segmento 2: Juan el Bautista y el bautismo en el desierto

Rev. Dr. Don L. Davis

Resumen introductorio al segmento 2

Juan el Bautista fue el precursor y mensajero del Mesías, el que anunció su venida y preparó su camino, predicando el mensaje de arrepentimiento y fe a la nación de Israel. Como cumplimiento de la profecía del Antiguo Testamento con respecto a la venida del Mesías, Juan fue un testigo de Jesús, anunciando su presencia, y bautizándolo ya que Él quería identificarse con los pecadores en todas las cosas. Jesús fue reconocido como el Mesías en su bautismo y fue llevado al desierto donde perduró y triunfó sobre las tentaciones de Satanás. Jesús se manifestó a Sí mismo como el Mesías en su sinagoga natal de Nazaret, a sus seguidores iniciales al principio de su ministerio y a través de su milagro en Caná de Galilea.

Nuestro objetivo en este segmento, *Juan el Bautista y el bautismo en el desierto*, es que usted pueda ver que:

- Juan el Bautista fue el precursor y testigo del Mesías, escogido por Dios para dar testimonio de la llegada de Jesús y preparar la nación de Israel para su venida.

- El bautismo de Jesús revela su completa identificación con los pecadores, y cómo el mismo Dios también validó que Jesús es su Hijo, en quien posaba el Espíritu Santo.

• La tentación de Jesús en el desierto demostró su continuo conflicto con Satanás, junto con su perseverancia y triunfo sobre las tentaciones y los ataques del diablo.

• Jesús inauguró su ministerio al seleccionar los primeros seguidores después de su bautismo, y al anunciar su identidad mesiánica por medio de dos incidentes importantes: el anuncio público de su mesianismo en Nazaret, y su primer milagro público en las bodas de Caná, el cual atestiguó que era el Mesías.

I. Juan el Bautista

Video y bosquejo
segmento 2

1

A. Las citas bíblicas

1. Mt. 3.1-12

2. Mc. 1.2-8

3. Lc. 3.1-20

4. Juan 1.19-28

B. El precursor del Mesías: Profecía del Antiguo Testamento y su cumplimiento en libro de Juan en el Nuevo Testamento

1. El mensajero que prepararía el camino delante del Mesías, Mal. 3.1

2. El instruiría a la gente, Mal. 2.7.

3. Vendría en el espíritu y poder de Elías, Mal. 4.5.

4. En su nacimiento se emitieron profecías, Lc. 1.76.

5. Jesús reconoce a Juan como el mensajero del pacto.

    a. Mt. 11.10-11

    b. Mc. 1.2-3

    c. Lc. 7.26-28

C. Su notable modo y apariencia, Mt. 3.4

1. Mt. 11.8

2. Mc. 1.6

3. Lc. 1.17

D. Su parentesco/relación con Jesús

1. Como un testigo

    a. Juan 5.33

    b. Juan 1.6-7

1

       c.   Hch. 19.4

   2.   Como uno que precedió la venida del Mesías y que menguaría después de anunciar su presencia, Juan 3.28-30

   3.   Como el que relató y anunció la presencia del Mesías y su obra, Mt. 3.11-12

II. El bautismo de Jesús

   A. Citas bíblicas

      1.   Mt. 3.13-17

      2.   Mc. 1.9-11

      3.   Lc. 3.21-23

      4.   Juan 1.29-34

   B. El bautismo como señal de *arrepentimiento*

      1.   Lc. 3.3 comp. Hch. 19.4

      2.   Muestra que el que se bautiza admite su falta (es decir, del deseo de cambiar sus caminos y así reordenar su vida en sincronización con los caminos del Señor)

3. El bautismo *de hecho* no fue importante ni necesario para Jesús.

    a. Jesús fue el Cordero comisionado para quitar el pecado del mundo, Juan 1.36.

    b. Él no cometió ningún pecado; no había necesidad alguna que él se arrepintiera.

    c. Juan sintió la necesidad de ser bautizado por Jesús, Mt. 3.13-14.

C. El bautismo de Cristo Jesús "es conveniente para que cumplamos toda justicia", Mat. 3.15.

    1. Bautizado (sumergido) dentro del Jordán

    2. Los cielos se abren, el Espíritu de Dios desciende como una paloma.

    3. La voz del Padre: Mt. 3.17

D. El significado del bautismo de Jesús

    1. Cumpliendo la justicia de Dios

    2. Confirmación de Jesús de la posición e identidad de Juan el Bautista, Juan 1.31-34

3. La relación de Jesús con el Espíritu Santo: derramamiento del Espíritu Santo sin medida

    a. Is. 61.1

    b. Juan 3.34

4. El compañerismo de Jesús con el Padre: placer ilimitado Mt. 12.18

III. La tentación de Jesús

A. Citas bíblicas

    1. Mt. 4.1-11

    2. Mc. 1.12-13

    3. Lc. 4.1-13

B. La naturaleza de la tentación

    1. Jesús verdaderamente fue tentado: Heb. 2.17-18; 4.15-16.

        a. Cuarenta días agotadores de ayuno en el desierto

        b. El sincronismo diabólico en la tentación

c. No fue una mera formalidad; fue una auténtica tentación de su persona.

2. Poniendo dudas demoníacas sobre la identidad de Jesucristo como Hijo de Dios

    a. *Si eres el Hijo de Dios, di que estas piedras se conviertan en pan.*

        (1) Solicitó que Jesús abusara del poder.

        (2) La respuesta de Jesús: Dt. 8.3

    b. *Si eres el Hijo de Dios, échate abajo.*

        (1) Llevado a Jerusalén y puesto en el pináculo del templo; solicitó innecesariamente una prueba de la promesa de Dios (Sal. 91.11-12 citado).

        (2) La respuesta de Jesús: Dt. 6.16

3. Sugerencia demoníaca de avaricia: *Todos estos* [por ejemplo, los reinos del mundo y la gloria de ellos] te daré, *si postrado me adorares,* v. 9.

    a. La oferta de gloria y poder personal

    b. La respuesta de Jesús: Dt. 6.13-14

4. La resolución del episodio de la tentación

    a. El diablo se aparta esperando un tiempo más oportuno para el siguiente *ronda* de la batalla, Lc. 4.13.

b.   Apoyo angelical dado a Jesús (fue una muestra del cuidado y supervisión del Padre hacia el Mesías)

(1) Mc. 1.13

(2) Mt. 4.11

(3) Comp. Mat. 26.53; 1 Tim. 3.16; Lc. 22.43

C. Significado de la tentación

1. Jesús se identifica con nosotros porque ha sido tentado como nosotros.

a. Heb. 4.15-16

b. Heb. 2.18

2. El diablo es mentiroso (las mentiras y engaño son sus tácticas de acceso y las armas más efectivas y astutas), Juan 8.44.

3. Peleamos esta guerra contra el enemigo al esgrimir (citando y usando) las Sagradas Escrituras, Ef. 6.16-17.

IV. El anuncio del Mesías

A. Los discípulos después del bautismo: los primeros discípulos de Jesús

1. Los primeros seguidores de Jesús después del bautismo, Juan 1.35-51

a. Juan presenta a Jesús como Aquel de quien vino a dar testimonio, Juan 1.36 y sig.

b. Presentación de algunos seguidores de Juan que se hicieron seguidores de Jesús

2. Los Dos (Juan y Andrés), Juan 1.40

3. Pedro (Simón), Juan 1.41

4. Felipe, Juan 1.43-44

5. Natanael, Juan 1.45-50

B. La declaración de su llamado: el anuncio en Nazaret acerca de su mesianismo, Lc. 4.16-21

1. El anuncio público de Jesús en su propio pueblo natal, Nazaret

2. Hace el anuncio en la sinagoga (lugar de adoración de Yahvé)

3. Cita de Isaías 61

a. Se anuncia a Sí mismo como el Siervo de Yahvé

b. Declara su ministerio incondicional hacia los pobres y los quebrantados

c.   Dirige la atención hacia su rol y su relación con las Sagradas Escrituras: "Hoy se ha cumplido esta Escritura delante de vosotros", v. 21 (comp. Mt. 5.17-18)

C.   La demostración de su gloria: el milagro en Caná de Galilea, Juan 2.1-12

    1.   Ocurrió varios días después de su bautismo y la conversación con sus primeros seguidores (una fiesta de bodas en Caná de Galilea)

    2.   María, la madre de Jesús estaba presente.

    3.   La petición de María y la respuesta de Jesús: "Mi hora"

    4.   El milagro llamado una "señal" (versículo 11)

        a.   Señal de su poder y autoridad: el Hijo del Hombre es el Señor.

        b.   Manifestación de su gloria (e.d., su divina majestad y posición)

        c.   Alimento para la fe ("y sus discípulos creyeron en él", v. 11)

    5.   Después de este milagro, Jesús estuvo un tiempo en Capernaum, un lugar significativo y el centro de su ministerio futuro, Juan 2.12.

Conclusión

» Juan el Bautista fue el precursor escogido por Dios para anunciar el ministerio del Mesías.

» La identidad de Jesús el Mesías se demostró por el bautismo de Juan y la tentación del diablo en el desierto.

» Jesús de Nazaret comenzó su ministerio público como Mesías al reunir algunos de los primeros discípulos, al anunciar su mesianismo en su sinagoga natal en Nazaret y a través de su primer milagro en Caná.

Seguimiento 2

Preguntas y reflexión acerca del contenido del video

Las siguientes preguntas fueron diseñadas para ayudarle a repasar el material en el video del segundo segmento. Estos eventos asociados con el primer anuncio mesiánico de Jesús son esenciales para entender su ministerio único en Israel. ¡Debe ser claro y conciso en sus respuestas, y siempre que pueda susténtelas con Escrituras!

1. ¿Cómo describe el Antiguo Testamento la venida del precursor del Mesías en sus descripciones proféticas y predicciones?

2. ¿Cómo y cuándo reconoció Jesús que Juan el Bautista era el cumplimiento de las referencias del Antiguo Testamento en cuanto al que "prepararía el camino del Señor"?

3. ¿Qué era notable acerca de la conducta y apariencia de Juan, y cómo precisamente el Nuevo Testamento describe su relación con Jesús?

4. ¿Qué ocurrió en el bautismo de Jesús, lo cual da evidencia que efectivamente Jesús de Nazaret es el Mesías de Dios?

5. Si Jesús no cometió pecado, entonces, ¿por qué fue bautizado?

6. ¿Qué aprendemos acerca de la relación de Jesús con Satanás en la tentación en el desierto? ¿Pudo Jesús haber cedido a las tentaciones del diablo? ¿Pudo haber cometido pecado contra Dios, ya fuera en el desierto o en cualquier otro momento de su vida? Explique.

7. ¿Le parece que existe algo especialmente significativo en el hecho que Jesús eligió a Isaías 61 como texto para anunciar a la nación que Él realmente era el Mesías prometido?

8. ¿Cómo entienden que era Jesús sus primeros seguidores? ¿Cómo lo describen a Él y a Su propósito en el mundo?

9. ¿De qué manera revela el milagro en Caná de Galilea la gloria de Jesús como el Mesías de Dios? Según Juan, ¿cuáles conclusiones e interpretaciones sacan los discípulos de esta demostración notable del poder para obrar milagros?

CONEXIÓN

Resumen de conceptos importantes

Esta lección está centrada en los conceptos y eventos fundamentales que se asocian con el anuncio y la presentación iniciales del Mesías, Jesús de Nazaret, en su nacimiento, infancia, y niñez. También enfatiza las verdades fundamentales respecto a su bautismo, su tentación en el desierto y la subsiguiente presentación de Sí mismo a la nación de Israel, empezando con la sinagoga de su pueblo natal en Nazaret y su primer milagro en Caná de Galilea.

- El Nuevo Testamento revela en los relatos de los Evangelios a la persona de Jesús de Nazaret, quien es el Mesías que cumple la promesa de Dios para la salvación, redención, y revelación.

- El estudio del Mesías está arraigado en el tema del Antiguo Testamento de la *promesa* y *cumplimiento,* por medio de la promesa de Dios a Abraham, y por medio de él a Isaac, Jacob, Judá y David.

- Jesús vino al mundo en un tiempo fundamental de centralización, unidad, comercio, y cambio del mismo. El clima y las condiciones históricas en torno al momento de la venida del Mesías eran críticos para su llegada en el mundo.

- Las narraciones del nacimiento e infancia de Jesús proveen una perspectiva clave en cuanto a la persona y también la obra de Jesús, tanto en términos de su identidad como en su propósito de venir a la tierra como el Mesías ungido de Dios.

- Juan el Bautista fue el precursor y testigo del Mesías, escogido por Dios para dar testimonio de la llegada de Jesús y para preparar a la nación de Israel para su venida.

☛ El bautismo de Jesús revela su completa identificación con los pecadores, y cómo el mismo Dios también validó que Jesús es su Hijo, en quien posaba el Espíritu Santo.

☛ La tentación de Jesús en el desierto demostró su continuo conflicto con Satanás, junto con su perseverancia y triunfo sobre las tentaciones y los ataques del diablo.

☛ Jesús inauguró su ministerio al seleccionar los primeros seguidores después de su bautismo, y al anunciar su identidad mesiánica por medio de dos incidentes importantes: el anuncio público de su mesianismo en Nazaret, y su primer milagro público en las bodas de Caná, el cual atestiguó que era el Mesías.

Aplicación del estudiante

Ahora es el tiempo para que discuta con sus compañeros de estudio las preguntas acerca de esta primera lección del módulo, *El Nuevo Testamento Testifica de Cristo y Su Reino, El Mesías Anunciado*. La información abarcada en esta lección está enfocada en los eventos y asuntos asociados con la llegada al mundo de Jesús como el Mesías, físicamente como el bebé de María, más adelante como el adolescente que crecía con José y María, y finalmente como el Mesías anunciado por Juan a la nación. El asimilar la importancia que Jesús se anunciara como el Mesías puede ayudarle grandemente a medida que continúa estudiando Su ministerio, así como también facilitará su esfuerzo por comprender totalmente el significado de la persona y la obra de Jesús en el mundo. Al repasar esta lección, ¿que preguntas tienen que expresen alguna inquietud y que demandan más consideración de su parte? Quizás algunas de las siguientes podrían ayudarle a elaborar preguntas suyas que sean más específicas y fundamentales.

* ¿Por qué Jesús de Nazaret vino al mundo en el tiempo y momento que lo hizo?

* ¿Por qué Jesús no fue reconocido inmediatamente por la nación como el Mesías que habían esperado por tanto tiempo, siendo que al Rey conquistador le fue negado gobernar sobre el trono de David? ¿Por qué muchos encontraron el anuncio de Jesús problemático y perturbador? Explique su respuesta

* ¿Jesús se *hizo* Mesías en el momento de su bautismo, o fue meramente *reconocido* allí*?* Explique.

* Si consideramos el hecho que Jesús era semejante en todo a nosotros, ¿habría sido posible que pecara, ya sea durante la tentación o en algún otro momento de su vida? ¿Cómo, o cómo no?

* ¿Cómo es que el anuncio de Jesús como el Mesías revela su llamado a lidiar con los poderes del enemigo desde la posición de Señor y Salvador?

* ¿Qué es lo que la modestia y humildad de la vida de Jesús de Nazaret nos revelan acerca de la naturaleza de Dios, del Mesías, y de toda la espiritualidad verdadera? Explique su respuesta cuidadosamente.

* ¿Qué clase de imágenes nos dan los relatos del nacimiento, infancia y niñez de Jesús, con respecto a Su persona y obra? ¿Qué aprendemos acerca de sus padres y del lugar donde vivió y creció?

* El llamamiento que Jesús hizo de sus discípulos, nos ofrece una foto instantánea de la naturaleza de su declaración al señorío. ¿Qué lecciones aprendemos acerca de seguir a Jesús en los encuentros que tuvo con sus discípulos al principio de su ministerio público?

* Teniendo en cuenta el primer milagro en Caná, ¿qué piensa acerca del papel que desempeñaron los milagros cuando se anunció la identidad de Jesús de Nazaret como el Mesías? Explique.

Casos de estudio

¿Puede Jesús realmente entender mi situación?

Hoy en día, muchos creen que aunque Jesús es descrito como un ser humano (alguien que experimentó totalmente la misma condición que todos los seres humanos sobrellevan), Él realmente no puede sentir lo que nosotros sentimos. Después de todo, Jesús nunca supo lo que significó fallar, sentirse culpable por pecados cometidos, o tener que reconciliarse con otros por haber hecho algo malo. ¿Cómo aconsejaría a una persona que afirmara que Jesús no podría entender su situación porque Él simplemente no experimentó el "lado oscuro" de la vida humana? ¿Es posible que Jesús tenga empatía con nuestras debilidades, aunque Él nunca pecara contra Dios en pensamiento, palabra, o acción?

Una doctrina confusa

Al discutir la identidad de Jesús de Nazaret con un amigo musulmán en el trabajo, a usted le sorprende que él no pueda comprender la doctrina que Jesús de Nazaret era un ser humano y también el Hijo de Dios. Al expresar su dificultad para entender esta verdad, el colega musulmán dice, "Me parece que este es uno de los conceptos más problemáticos y confusos en toda la teología cristiana. Sé que esto tiene mucho sentido para ti y para otros cristianos, pero como musulmán que soy, simplemente no puedo entender cómo puedes sugerir que el Dios del cielo se hizo hombre, nació de una mujer, creció, aprendió a hablar, hizo tareas, y soportó la bajeza y las dificultades de la vida de todos los seres humanos. Tu punto de vista acerca de Jesús me parece una doctrina majestuosa pero confusa. ¿Podrías explicarme, lo más simple posible, cómo es que crees que Jesús es el Hijo de Dios y que aún puede ser completamente ser humano también?" ¿Cómo respondería a su pregunta?

Un Reino aplazado

 Al compartir sus puntos de vista en sus estudios con un compañero seminarista, lo desafían con una idea acerca de la naturaleza de la venida del Mesías y la venida del Reino. El amigo cristiano está de acuerdo con la idea que Jesús de Nazaret es el cumplimiento de las profecías del Antiguo Testamento acerca de la venida del Mesías, pero rechaza totalmente la idea que el Reino de Dios haya llegado con él. Su opinión teológica, *el dispensacionalismo*, sugiere que Jesús vino e hizo la *oferta* del Reino a Israel, pero ellos la rechazaron, crucificaron al Mesías y el Reino fue aplazado. Por consiguiente, ahora ha surgido la era de la Iglesia y la promesa del Reino no resurgirá hasta la Segunda Venida de Jesús, cuando cumplirá la promesa del Reino en su plenitud. ¿Cómo respondería a esta declaración que el anuncio de Jesús en cuanto a ser el Mesías y *el Reino* son diferentes? En su opinión, ¿el Reino de Dios llegó en alguna manera en la primera venida de Jesús? Y si así es, ¿cómo?

Reafirmación de la tesis de la lección

Un estudio provechoso de la vida de Cristo demanda un espíritu devoto y estudioso y una consciencia de las perspectivas y procesos fundamentales asociados con su primera venida. El anuncio de Jesús viniendo como el Mesías está conectado con las historias claves del Nuevo Testamento sobre el nacimiento, infancia y niñez de Jesús. Los informes evangélicos del Nuevo Testamento revelan que la persona de Jesús de Nazaret es el Mesías que cumple la promesa de Dios para salvación, redención y revelación. Juan el Bautista es el mensajero escogido de Dios para anunciar el ministerio del Mesías a la nación de Israel. La identidad de Jesús como el Mesías en anunciada con su bautismo, su tentación en el desierto, el llamado de sus discípulos, y dos incidentes importantes (en la sinagoga de Nazaret y en las bodas de Caná).

Si le interesa seguir con algunas de las ideas sobre *El Mesías Anunciado*, quizás podría intentarlo con estos libros (algunos de estos t tulos pueden estar disponibles en español, o revise nuestro portal en la red cibernética para recursos adicionales en español):

Beasley-Murray, G. R. *Jesus and the Kingdom of God.* Grand Rapids: Eerdmans, 1986.

Ladd, George Eldon. *The Presence of the Future.* Revisado y editado Grand Rapids: Eerdmans, 1974.

Recursos y bibliografía

Ahora deberá explorar las conexiones ministeriales prácticas que las enseñanzas del anuncio del ministerio mesiánico de Jesús podría tener para usted, tanto en su vida personal como en su entorno ministerial. Al repasar todos los diversos temas asociados con la llegada y manifestación de Jesús en el mundo, ¿cuáles temas en particular le parecen ser los más necesarios como para pensar y orar durante esta próxima semana y período? Al analizar algunos de los enfoques fundamentales de esta lección, ¿cuál de ellos en particular le sugiere el Espíritu Santo que le dedique más tiempo para meditarlo, estudiarlo y aplicarlo? ¿Existe alguna persona en particular o alguna situación ministerial que le venga a la mente cuando reflexiona en el significado del anuncio del Mesías? Dése un tiempo para revisar pausadamente este material con el propósito expreso de escuchar al Señor a través del mismo, viendo qué ideas, asuntos, o puntos de vista quiere aplicar, profundizar y estudiar adicionalmente.

Conexiones ministeriales

Ore al Señor con agradecimiento por la realidad de la antigua promesa de un Mesías, la cual se ha cumplido en la persona de Jesús de Nazaret. Dios se revela a sí mismo, manifestándose como alguien digno de absoluta confianza, ya que es fiel para guardar su pacto profético con Abraham y los patriarcas, con David como rey, y con su pueblo como Libertador y Salvador. Sin duda, hay áreas que hoy en día enfrenta en las que necesita asirse confiadamente de la promesa fiel del cumplimiento de Dios. Deje que el Espíritu Santo le dirija a esas áreas y cuidados que requieren la fiel intervención y respuesta del Señor, y pida que otros oren por estas necesidades y áreas, según el Señor guíe. Así como Dios fue fiel para revelarnos a su Hijo en el cumplimiento del tiempo, de la misma manera es fiel para obrar en las vidas de aquellos que se aferran a él por la fe.

Consejería y oración

ASIGNATURAS

Versículos para memorizar

Juan 1.14-18

Lectura del texto asignado

Para prepararse para la clase, por favor visite www.tumi.org/libros para encontrar las lecturas asignadas de la próxima semana o pregunte a su mentor.

Otras asignaturas o tareas

Por favor dése cuenta que será examinado en base al contenido (contenido del video) de esta lección la semana próxima. Asegúrese de pasar un buen tiempo repasando los conceptos claves de esta lección en sus notas. Enfóquese especialmente en las ideas principales, lea el texto asignado y asegúrese de resumir brevemente la Lectura del texto asignado, con no más de un párrafo o dos por cada lectura. En sus propias palabras, exprese lo que entiende ser el punto principal en cada lectura. No se preocupe demasiado acerca de dar detalles; simplemente escriba lo que considera ser el punto principal presentado en esa sección del libro. Por favor lleve estos resúmenes a clase la próxima semana (mire el *Reporte de lectura* al final de esta lección).

Esperamos ansiosamente la próxima lección

Una vez vistos cuidadosamente los eventos alrededor del anuncio del Mesías al comienzo del ministerio de Jesús, nuestra próxima lección se enfocará en los diferentes textos dentro del Nuevo Testamento que testifican sobre los diferentes tipos de oposición que atrajo Jesús de Nazaret al cumplir su rol como el Mesías prometido de Dios. En el ámbito espiritual y también en el social, Jesús el Mesías recibió oposición en su rol como el Salvador del mundo, el ungido de Dios.

1

Nombre_____

Fecha_____

Por cada lectura asignada, escriba un resumen corto (uno o dos párrafos) del punto central del autor (si se le pide otro material o lee material adicional, use el dorso de esta hoja).

Lectura 1

Título y autor: _____ páginas _____

Lectura 2

Título y autor: _____ páginas _____

El Mesías Opuesto

Objetivos de la lección

¡Bienvenido en el poderoso nombre de Cristo Jesús! Después de sus lecturas, estudio, discusión y aplicación del material en esta lección, usted podrá:

- Explicar el contexto histórico que rodeó a Jesús cuando hizo público su ministerio, incluyendo los diferentes detalles que definieron el dominio de Roma sobre el mundo y la relación de Cristo con sus contemporáneos.

- Describir cómo reaccionaron los diferentes grupos políticos y sectas en Israel ante la ocupación romana en el tiempo de Jesús, y mostrar cómo las mismas determinaron en gran manera su respuesta a Su persona.

- Dar un panorama general de los saduceos, fariseos, esenios, zelotes y herodianos, su respuesta a la ocupación romana y su reacción referente al ministerio de Jesús.

- Detallar la concepción judía del Reino de Dios durante el tiempo de Jesús, influenciado como lo estaba por la opresión de los poderes políticos, incluyendo la creencia que el Reino de Dios vendría con poder, restaurando el universo material y salvando a la humanidad del control de Satanás.

- Defender la evidencia bíblica que sustenta la idea que Jesús proclamó el Reino presente, demostrando su realidad en su persona, en las obras de sanidad y al eschar fuera demonios.

Devocional

El siervo y su Señor

Lea Juan 15.18-26 ¿Puede un discípulo de Jesús conducirse en este mundo sin experimentar el tipo de rechazo, persecución, y tribulación conocidos y experimentados por nuestro Señor? ¿Acaso la experiencia de nuestro Señor fue *sui géneris* (en latín: totalmente de su propio género, única) para él, o los suyos también deberían experimentar un cierto grado de odio y rechazo por parte del mundo?

Uno de los dichos favoritos de Jesús es el conocido versículo, "De cierto. de cierto os digo: el siervo no es mayor que su señor; ni el enviado es mayor que el que le envió".

(Juan 13.16 - *El siervo no es mayor que su señor, ni el enviado es mayor que el que le envió.* Jesús, quien verdaderamente es el grandioso y soberano Amo de todas las cosas, sobrellevó la persecución y el odio por parte de los impíos y los duros de corazón, y lo que obviamente nos dice en nuestro texto devocional es que si el mundo le odiaba, nos odiará también a nosotros. Ningún discípulo genuino de Jesús puede ir por este mundo sin obtener cicatrices, sin recibir oposición, obrando en forma gloriosa sin obtener algún castigo; todos debemos experimentar el rechazo y la oposición de los enemigos de Dios. Tendremos que luchar, seremos opuestos, aun odiados, por causa de Cristo. Sin embargo, no tenemos que sorprendernos por esto. Jesús mismo, nuestro Señor y Maestro fue rechazado y odiado, y nosotros, por estar unidos a él, experimentaremos lo mismo. Dios permitirá que los que son de Cristo tengan la misma gracia que él tuvo, la cual hizo que nuestro Señor pudiera soportar, para la gloria del Padre, tanto maltrato y abuso.

Siempre recuerde, al soportar problemas, pruebas, tribulaciones, odio y dificultades, que nuestro Señor soportó lo mismo y nos ayudará a perseverar hasta el final.

2

Después de recitar y/o cantar El Credo Niceno (se encuentra en el apéndice) haga la siguiente oración:

> *Poderoso Dios, cuyo Hijo amado fue conducido por el Espíritu Santo para ser tentado por Satanás: Ven pronto y ayúdanos ya que somos asediados por muchas tentaciones. Tú que conoces las debilidades de cada uno, permite que entendamos que eres poderoso para salvar; por medio de Cristo Jesús tu Hijo y nuestro Señor, quien vive y reina contigo y con el Espíritu Santo, un Dios, ahora y para siempre. Amén.*

> ~ Iglesia Episcopal. El Libro de Oración Común y La Administración de los Sacramentos y Otros Ritos y Ceremonias de la Iglesia, Junto con el Salterio o Salmos de David. Nueva York: Corporación de Himnos de la Iglesia 1979. p. 218

El Credo Niceno y oración

Guarde sus notas, agrupe sus pensamientos y reflexiones y tome la prueba de la lección 1, *El Mesías Anunciado.*

Prueba

Repase con un compañero, escriba y/o recite de memoria el texto asignado para la última sesión de la clase: Juan 1.14-18.

Revisión de los versículos memorizados

Entregue su resumen de la lectura asignada la semana pasada, es decir, su respuesta breve y la explicación de los puntos principales que los autores buscaban resaltar en el texto asignado (Reporte de lectura).

Entrega de tareas

CONTACTO

¿Es herético el evangelio de la sanidad-prosperidad?

1 Muchos proclaman hoy día un evangelio que promete cosas fáciles, comodidad y bendición en presencia de un mundo que crece constantemente en violencia, vicios, e injusticia. En el corazón de este evangelio está la creencia que la muerte de Jesús adquirió para los creyentes una resonante victoria, la cual alcanza cada área de la vida que esté sin mancha o ingredientes de problemas o tribulaciones. Si nuestra fe es firme, si nuestra confesión es clara y nuestra confianza en la Palabra de Dios es estable, recibiremos salud y abundancia del Señor, las bendiciones que llegan a aquellos cuya fe permanece inamovible y fuerte. Este estilo de vida de bendición y victoria refleja una fe salvadora; los que se aferran a Dios alcanzarán un nivel de bendición y gracia que no disminuirá, siempre y cuando su fe permanezca firme. ¿Qué cree usted acerca de este "evangelio"? ¿Es bíblico, extremista, o hasta quizás hereje?

Una pregunta para la ciudad: Clases de miseria

2 Parece ser que en los vecindarios urbanos, muchas personas sufren a diario de la miseria. Algunos viven sin casa, comida, techo y ropa, sin tener cubiertas las mínimas necesidades de la vida y la salud. Muchos son víctimas de abuso y violencia, y a diario muchos viven en la soledad y la desesperación. ¿Cuál es el rol de la miseria en la vida cristiana? ¿Por qué le suceden cosas terribles a algunas de las mejores personas, mientras algunos de los más malos e injustos parecen vivir vidas libres de problemas? ¿Hay diferentes clases de miseria? ¿Existe un tipo de miseria y oposición que realmente lleva a la piedad y al crecimiento, o todas son expresiones de la miseria del pecado y del odio del enemigo del pueblo de Dios?

Culpando a la persona indicada

3 ¿Quién es el verdadero culpable de la oposición y el odio que frecuentemente ocurren en la vida de los que pertenecen a Jesús? Si bien resulta obvio notar que Jesús sufrió oposición en diferentes lugares, no por Su causa, sino por las intenciones malignas de sus enemigos, ¿se podría decir lo mismo de nosotros? ¿Experimentamos, como discípulos de Jesús, la oposición debido a que estamos en comunión con él? ¿O algunas veces experimentamos la oposición debido a nuestro propio pecado y a nuestras reacciones impías hacia los otros? Si eso es cierto, entonces, ¿cómo podemos saber *cuándo* estamos siendo perseguidos por *nuestra alianza con Jesús* y cuándo es que lo somos debido *a nuestro propio comportamiento pecaminoso en este mundo?*

El Mesías Opuesto

Segmento 1: Oposición por parte de sus contemporáneos

Rev. Dr. Don L. Davis

Al analizar el contexto histórico del mundo romano en los días del ministerio público de Jesús, podemos comprender mejor la reacción de los grupos contemporáneos. Al observar a los saduceos, fariseos, esenios, zelotes y herodianos, vemos grupos judíos en el que cada uno respondió diferente a la ocupación romana, y por su posición, determinaron relacionarse de manera única con el ministerio mesiánico de Jesús.

Nuestro objetivo para este segmento, *Oposición por parte de sus contemporáneos,* es para que pueda ver que:

* El contexto histórico del imperio romano era el medio ambiente principal que afectaba a los diferentes grupos judíos en torno a Jesús durante el tiempo en que hizo público su ministerio.

* Los grupos respondieron a Jesús en base a la posición que tomaron, en yuxtaposición con su entendimiento del dominio de Roma en el mundo.

* Todos los contemporáneos de Jesús reaccionaron diferentemente a la ocupación romana, y estas reacciones de los diferentes sectores y partidos judíos, en gran manera determinaron cómo los mismos respondieron a Jesús.

* Los grupos más significativos que reaccionaron a Jesús durante su ministerio público eran los saduceos, fariseos, esenios, zelotes y herodianos. Debido a que cada uno de estos grupos respondió diferentemente a la ocupación romana, también reaccionaron diferentemente al ministerio mesiánico de Jesús.

I. El contexto histórico (ambiente) de la vida de Jesús: El contexto del mundo romano

Erich Sauer, *La aurora de la redención del mundo.* Eugene, Oregon: Wipf and Stock Publisher (2009). pág. 263.

CONTENIDO

Resumen
introductorio
al segmento 1

Video y bosquejo
segmento 1

A. Un tiempo de *centralización mundial* (comercio dentro del imperio mismo, organización política, completa supervisión gubernamental y militar)

B. Un tiempo de *unidad cultural mundial* (influencia greco-romana, el griego koiné se usaba como el lenguaje comercial universal)

1. Una capa delgada de uniformidad cultural

2. "*Lingua Franca*": El griego como el lenguaje comercial

a. El arameo se hablaba en Palestina; el hebreo se usaba en los círculos rabínicos.

b. La mayoría de la gente común y corriente en Galilea muy probablemente hablaba griego.

C. Un tiempo de *comercio e intercambio mundial* (interacción e interconexión entre las provincias en términos financieros y comerciales, entre culturas, pueblos y naciones representativos)

1. Mucha prosperidad en Roma; gran número de esclavos (gran diferencia entre aristócratas y esclavos)

2. Líneas marítimas con puertos importantes (Alejandría, Mar Negro, Cartago, etc.)

3. Rutas terrestres (famosas por la construcción de carreteras)

2

D. Un tiempo de *paz mundial* (Roma conquista el mundo conocido en ese entonces)

    1. *Pax Romana* = la paz de Roma (gobernaba la mayor parte del mundo)

    2. Tensión dentro de Palestina, se consideraba si obedecer la autoridad romana o no

    3. Tensiones entre los poderosos gobiernos centrales y el poderoso gobierno local

        a. El emperador gobernaba el imperio entero de por vida con poder absoluto

        b. Gobierno de la provincia: provincias senatoriales e imperiales ("legados"); Cirenio era *legado* de Siria

E. Un tiempo de *desmoralización mundial* (diversos niveles de opresión romana, así como diversos niveles de lealtad nacional hacia Roma)

    1. Diferencia espectacular entre los que tienen y los que no tienen.

    2. No había señales de esperanza a favor de un cambio en algunas provincias que retuvieron con mucha vehemencia su lealtad nacional y religiosa (Israel)

    3. Roma gobernó por 60 años antes que Jesús naciera

        a. Trajo beneficios pero fue muy rechazado por el pueblo en Palestina

2

b. Sistema de impuestos opresivo en el país ocupado

(1) Soborno ilegal por parte de los colaboradores ("colectores de impuestos" o "publicanos")

(2) Los publicanos constituían un grupo temido y odiado, siendo vistos como traidores de la nación y amigos de los opresores.

4. El dominio y la opresión política eran la mayor causa de resentimiento de la población de Israel (no era coherente con su identidad como pueblo de Dios).

F. Un tiempo de *mezcla mundial de religiones* (gran diversidad de creencias religiosas y prácticas espirituales)

1. La adoración al emperador era popular, pero no interfería con el derecho de adorar a dioses locales.

2. Las religiones orientales llegaron al imperio (centros de Egipto, Siria y Frigia en Turquía).

3. La astrología, el ocultismo y las filosofías eran diversas, raras, llenas de mucha superstición y magia.

II. Los contemporáneos de Jesús: Reacciones judías hacia Jesús

A. Los saduceos (asociados con los sacerdotes, quienes con los "ancianos" laicos ejercían el liderazgo sobre los judíos bajo el dominio romano): *líderes bajo Roma.*

1. Partido materialista judío del tiempo de Jesús, asociado con los sacerdotes, Hch. 5.17

2. Negaban la resurrección y la existencia de ángeles y espíritus

   a. Mt. 22.23

   b. Hch. 4.1-2

   c. Hch. 23.6-8

3. Junto con los Fariseos, demandaban señales de Jesús, Mt. 16.1

4. La alta familia sacerdotal estaba en estrecha conexión con ellos, Hch. 4.1 (en adelante); Hch. 5.17-18.

B. Fariseos (expertos en leyes y en la aplicación rigurosa de las mismas al diario vivir): *guardadores de la tradición judía*

   1. Información general

      a. Se dice que había alrededor de 6,000 de ellos en tiempos de Jesús, único grupo de ese tamaño que sobrevivió la revuelta del año 70 D.C.

      b. El judaísmo moderno sigue la tradición farisea.

      c. Aceptaban los escritos del Antiguo Testamento; creían en la resurrección, en los ángeles y en la realidad de los espíritus, Hch. 23.8

   2. Un grupo judío experto en conocer y guardar en forma estricta la ley de Moisés

a. Hch. 15.5

b. Fil. 3.5

3. Poseían un gran celo por la tradición de los ancianos.

a. Mc. 7.3

b. Mc. 7.5-8

c. Gál. 1.14

4. Eran piadosos y morales en su exterior y en cumplir sus propias tradiciones, lo cual hacían frecuentemente justificándose a sí mismos y mostrando avaricia.

a. Lc. 18.11-12

b. Fil. 3.5-6

c. Lc. 16.14-15

d. Lc. 20.47

e. Lc. 16.14

5. Eran muy activos en ganar prosélitos, estando dispuestos a perseguir a los inconversos.

    a. Mt. 23.15

    b. Hch. 9.1-2

6. Generalmente estaban en contra de Jesús.

    a. Rechazaron el bautismo de Juan, Lc. 7.29-30.

    b. Al principio del ministerio público de Jesús procuraron que fuera arrestado, Juan 11.57.

    c. No toleraban que Jesús se asociara con los pecadores, Lc. 15.1-2.

    d. Conocidos por priorizar la práctica de los rituales por encima del amor a las personas, Mt. 15.1-14.

    e. Adjudicaban a Satanás el poder que Jesús tenía para liberar.
        (1) Mt. 9.34
        (2) Mt. 12.24

7. Jesús reservó su enseñanza más dura en contra de ellos, Mt. 23.1-33.

    a. Les llamó serpientes, generación de víboras, Mt. 23.33.

b. Les llamó hipócritas y guías ciegos, los comparó a sepulcros blanqueados, comp. Mt. 23.27.

  c. Los asoció con los que mataron y torturaron a los profetas de antaño, Mt. 23.29-33.

C. Esenios (se retiraron de toda conexión política y social con Israel y Roma, poniendo en práctica un estilo de vida monástico): *retirada a un estilo de vida monástico*

 1. Del griego, *Essenoi* (la Biblia no los menciona explícitamente, pero representaban una respuesta social al gobierno romano).

 2. Fuentes de información sobre ellos: Filo (primera mitad del primer siglo D.C.); Plinio (sus escritos datan alrededor del año 77 D.C.); Josefo (sus escritos datan alrededor de los años 75-94 D.C.), Hipólito (tercer siglo D.C.).

 3. Algunos debaten en cuanto a la exactitud de los dichos acerca de los esenios que vivieron durante el período de Herodes el Grande (37 A.C. á 4 D.C.).

 4. Se apartaron de la corriente principal del judaísmo probablemente alrededor de los años 100-140 A.C.

 5. Estaban dedicados a una vida caracterizada por el *ascetismo* (disciplinada, vida sencilla, retirada de mundos más grandes tanto sociales como políticos).

  a. Sin cosas de lujo; evitaron todo contacto social y económico innecesario con aquellos que estuvieran fuera de su grupo.

b. Centraron sus vidas en la oración, el arduo trabajo y el estudio de las Escrituras.

c. Mantenían leyes estrictas de obediencia.

6. Vivían en comunidad alrededor del Mar Mediterráneo (Qumran) (propiedad mantenida en comunidad, adoraban y estudiaban juntos las Escrituras, tenían comidas comunitarias).

7. Mantenían una perspectiva *dialéctica* del mundo (es decir, creían que todos eran o "*hijos de luz*" o "*hijos de tinieblas*").

8. Creían vehementemente en una teología con dos clases de reinos, esperaban que el Mesías regresara y destruyera a los hijos de las tinieblas y trajera victoria a los hijos de la luz.

D. Zelotes (grupo que defendía la insurrección y la rebelión contra la ocupación romana de Israel): *defensores de la teocracia*

1. Del griego *zelot*, "uno que es celoso"; zelotes del Nuevo Testamento

2. Radicalmente opuestos al gobierno romano en base a su interferencia con la "teocracia" (es decir, el gobierno de Dios) sobre la nación de Israel; eran militantes nacionalistas.

3. Eran leales a las costumbres y leyes judías.

4. Eran apocalípticos en su perspectiva (*apocalypse* = revelación).

a. Eran pesimistas con respecto a la era presente.

b. No se oponían a la insurrección y la rebelión armada contra la ocupación de Israel por parte de los oficiales romanos.

c. Sentían que inevitablemente las cosas cambiarían, y muy pronto.

5. Simón el cananista (uno de los doce) era miembro del partido de los Zelotes.

a. Mc. 3.18

b. Lc. 6.15

c. Hch. 1.13

E. Herodianos (miembros de un partido judío que favorecía el gobierno de Herodes y su dinastía): *colaboradores del enemigo*

1. Creían que era correcto homenajear a un gobernador (es decir, Herodes) quien por medio de la colaboración podría brindarle a la nación las ventajas de ser amigos de Roma.

2. Al principio se opusieron a Jesús en Galilea e intentaron quitarle la vida, Mc. 3.6.

a. Vieron a Jesús como una amenaza para la paz de Israel.

b.   Jesús era como un imán que atraía la oposición de grupos extraños, que no estaban de acuerdo entre sí mismos.

   3.   Después se opusieron a Jesús en Jerusalén; junto a los fariseos buscaron enredar a Jesús en sus enseñanzas, Mt. 22.15-21.

   4.   Conspiraron para atrapar a Jesús, Mc. 12.13.

F.   Características comunes de los contemporáneos de Jesús que se opusieron a su ministerio público

   1.   Todos, de una manera u otra, se relacionaron con Jesús según la forma en que lo veían en comparación con sus planes (los cuales reflejaban su relación con el gobierno romano).

   2.   Vieron a Jesús como una amenaza para su status quo; ninguno de sus adversarios lo defendió como el verdadero Mesías.

   3.   Sentían que si derrocaban o destruían a Jesús beneficiaría a la nación judía en su relación con Roma.

   4.   Recibieron el regaño implícito y explícito y la crítica de Jesús por no entender los tiempos (la raíz de su oposición era la ceguera espiritual), Lc. 12.54-56.

   5.   La exaltación del poder, el dinero y la posición estaban por encima del deseo genuino de cuidar a otros o reconocer las señales obvias que Jesús era el Mesías.

   6.   Frecuentemente Jesús advirtió contra la influencia no saludable de su enseñanza, la cual fue comparada con la "levadura".

a. Mt. 16.6

b. Mt. 16.11-12

c. Lc. 12.1

7. Sin que se requiera mucha imaginación, *fácilmente podemos encontrar nuestras propias actitudes hacia Jesús dentro de estos grupos (¡Tome en serio lo que Jesús dice, porque usted se parece a uno de estos grupos más de lo que probablemente sepa!).*

8. Jesús advirtió con anticipación que a causa de su oposición, de sus tramas y sus conspiraciones, él sería crucificado, pero también prometió resucitar.

a. Mt. 20.17-19

b. Mt. 8.31

c. Mc. 10.32-34

2

Conclusión

» Jesús de Nazaret nació dentro de un ambiente que influenciaba cada faceta de su vida y la de sus compañeros israelitas, gobierno y situación.

» El contexto histórico y peculiar romano influenció notoriamente las reacciones de varios grupos dentro de la nación judía y afectó la manera en que se relacionaron a Jesús.

Por favor, tome todo el tiempo que tenga disponible para contestar estas y otras preguntas que surjan a raíz del video. Jesús nació y creció en un contexto histórico romano que impactó grandemente las decisiones y los estilos de vida de varios grupos judíos competitivos y contemporáneos en su período. ¡Debe ser claro y conciso en sus respuestas, y siempre que sea posible, susténtelas con las Escrituras!

Seguimiento 1

Preguntas y reflexión acerca del contenido del video

1. Enumere dos de los elementos principales del contexto histórico del imperio romano en los tiempos de Jesús. En su opinión, ¿cómo impactaron estos elementos la venida del Señor en los días de su primer adviento?

2. Describa brevemente las características principales de los siguientes grupos que reaccionaron frente a Jesús durante Su ministerio público: los saduceos, fariseos, esenios, zelotes y herodianos.

3. ¿De qué manera la respuesta de cada uno de estos grupos hacia la ocupación romana influenció y afectó su relación y respuesta para con Jesús de Nazaret?

4. ¿Cuál grupo, en su opinión, estaba *más lejos* de la profesión que Jesús de Nazaret hacía diciendo que era el Mesías? ¿Cuál grupo estaba más cerca y más abierto a la declaración de Jesús?

5. ¿Qué detectamos en la respuesta de Jesús a estos grupos que demuestra que él estaba al tanto de sus reacciones hacia Su persona? ¿Jesús fue abierto o criticó particularmente a alguno de estos grupos? Explique.

6. ¿Cree que la oposición que Jesús enfrentó, por uno o más de los grupos ya mencionados, era de esperarse a la luz de la ocupación romana?

El Mesías Opuesto

Segmento 2: Oposición por parte de las fuerzas espirituales

Rev. Dr. Don L. Davis

Resumen introductorio al segmento 2

Aunque el contexto judío contemporáneo del Reino de Dios en el tiempo de Jesús enfatizaba la gloria de Israel y la derrota de los gentiles, Jesús vino anunciando el Reino de Dios como algo presente y visible en Su persona y sus obras. El Reino de Dios, que había sido esperado por mucho tiempo, había llegado en la persona de Jesús de Nazaret, pero no en la forma en que los judíos habían predicho. Jesús proclamó que el Reino estaba presente y demostró su realidad por medio de sus sanidades y al echar fuera demonios.

Nuestros objetivos para este segmento, *Oposición por parte de las fuerzas espirituales,* son que usted pueda ver que:

- El concepto judío del Reino de Dios en el tiempo de Jesús estaba arraigado en el poder y la gloria de la nación de Israel, y en la esperanza de Israel de derrotar los poderes gentiles opresores.

- El concepto judío, además, entendía que el Mesías sería alguien que vendría con un poder grandioso y maravilloso, y que restauraría el Reino de Dios en el universo material. Además, en un momento decisivo de salvación libertaría a la humanidad del control de Satanás.

- El punto de vista de Jesús en cuanto al Reino quedaba por tanto en conflicto con sus contemporáneos, ya que Jesús proclamaba que el Reino estaba presente en Su misma persona y Sus obras poderosas, demostradas por medio de las sanidades y al echar fuera demonios.

- Como el verdadero - bien que inesperado - Mesías, Jesús se opuso a aquellos poderes espirituales ocultos que habían tenido al mundo y a la humanidad cautivos desde la caída.

- Jesús de Nazaret cumple la promesa del Reino, y por lo tanto, como el Mesías se opone a los efectos de la maldición y a las obras del reino de las tinieblas.

2

I. Trasfondo del concepto judío acerca del Reino de Dios

Video y bosquejo
segmento 2

A. "Reino" en el mundo antiguo

1. "*Reino*", en el tiempo de Jesús significaba "señorío", "gobierno", "reinado", o "soberanía".

2. *Soberanía de Dios o Gobierno de Dios* = Reino de Dios

3. En la mayoría de las fuentes judías, tanto "*Reino de Dios*" como "*Reino de los cielos*" se refieren a pruebas o muestras de la maldición.

2

B. Referencias veterotestamentario del Reino de Dios (una muestra representativa antiguo-testamentaria)

1. Éx. 15.18

2. 1 Sam. 12.2

3. 1 Cr. 29.11

4. Sal. 22.29

5. Sal. 93.1; 95.3; 97.1; 99.1

6. Sal. 145.11-13

7. Is. 9.6-7

8. Dn. 4.34

9. Dn. 7.14

10. Dn. 7.27

11. Gran parte de la literatura judía del tiempo de Jesús tenía numerosas referencias sobre la autoridad del Reino de Dios (ver Tobías 13.1; La Sabiduría de Salomón 6.4; 1 Enoc 41.1, etc.).

C. La perspectiva mundial judía acerca del Reino en los días de Jesús

Esta perspectiva es un resumen de unas pocas suposiciones básicas que tenían los judíos creyentes y contemporáneos de Jesús en su primera venida. Se asume que estas ideas servían como un trasfondo de los eventos y enseñanzas de las Escrituras hebreas (es decir, nuestro Antiguo Testamento).

1. Dios es el Rey de todo el cielo y la tierra (como Creador del universo, solamente Él posee el derecho absoluto de reinar sobre todas las cosas buenas que ha hecho).

2. El derecho soberano de Dios para gobernar fue desafiado en el universo.

a. Ha sido desafiado por "*Satanás*" (= "*adversario*"), un ser espiritual que se rebeló contra el derecho de Dios para gobernar.

b. Por medio del engaño de Satanás, *la humanidad* cayó en rebelión, perdiendo la libertad que tenía en Dios y pasando a estar bajo el control del gobierno y dominio del diablo.

c. Por causa de su rebelión contra Dios, los humanos han pasado del *Reino de Dios* (el gobierno e influencia de Dios) al *reino de Satanás* (el gobierno e influencia del diablo).

3. El *reino del diablo* gobierna el presente sistema mundial.

a. Su influencia y presencia toca todas las esferas del orden de este mundo presente.

b. El *reino de Satanás* funciona en el universo material y también en los asuntos de la humanidad.

4. El *reino del diablo* y el *Reino de Dios* están en conflicto mortal y combaten el uno contra el otro.

a. Dios está reafirmando su derecho de gobernar su creación, y el *reino del diablo* se resiste a este esfuerzo con toda su furia y energía.

b. El asunto en esta batalla es el siguiente: *quién poseerá el derecho absoluto de gobernar y reinar sobre la creación y la humanidad.*

D. La perspectiva especial de Israel respecto al Reino tiene que ver con su identidad.

La idea del Reino influyó la perspectiva judía de la oposición espiritual en cuanto a las fuerzas del mundo material, los asuntos humanos y la posición de Israel como nación.

1. Israel como nación está envuelta en esta contienda entre Dios y Satanás por el control del mundo.

    a. Son el pueblo especial de Dios por causa del pacto, Gn. 12-17.

    b. Aunque son denominados el pueblo especial de Dios, viven en un *medio ambiente* (situación) que está dominado por el *reino de Satanás*.

        (1) Políticas gubernamentales y otras fuerzas sociales que eran hostiles hacia Israel están de hecho bajo el control de Satanás.

        (2) Dios usó estos sistemas para sus propósitos (aun cuando ellos no estaban al tanto de ello).

2. El *Reino de Dios* vendría en poder a través del Mesías y traería el fin al control e influencia de Satanás sobre el mundo y la humanidad.

    a. Una invasión espectacular del poder de Dios para de una vez por todas poner fin al control de Satanás sobre la humanidad.

        (1) La invasión del Reino de Dios sería inmediata (ocurriría repentinamente).

        (2) La invasión del Reino de Dios sería catastrófica (involucraría a todo el mundo).

        (3) La invasión del Reino de Dios sería decisiva (traería el fin al gobierno de Satanás).

    b. La suerte cambiaría para el pueblo de Dios (es decir, cuando viniera el Reino, Israel se convertiría en el más grande de todos los pueblos de la tierra).

3. El Reino de Dios vendría por medio del linaje de los reyes hebreos.

    a. Los reyes de los hebreos eran gobernantes que estaban bajo la autoridad de Dios.

    b. El Reino de Dios vendría por medio de los reyes del linaje de David (2 Sam. 7; Sal. 89).

    c. Las Escrituras veterotestamentario hablan con frecuencia del *Mesías* como el *"hijo de David"* (comp. Is. 9.6-7; Jer. 23.5-6; Sal. 2).

    d. La aparición del *Mesías* sería la evidencia que el *Día del Señor* había venido, y que el Reino había llegado.

4. El *Reino de Dios*, cuando finalmente llegara, traería un cambio notorio.

    a. Produciría la *liberación de la nación de Israel de la opresión y el dominio político*.

    b. El resultado sería *el refrigerio y la renovación de toda la naturaleza de regreso a la gloria y esplendor del Edén*.

    c. *Establecería paz y justicia con justo juicio* entre todas las naciones, con Israel a la cabeza.

    d. Produciría *transformación espiritual a nivel global*, con todas las naciones transformadas para servir y adorar al Dios verdadero, YHWH.

e. Sería *apocalíptico* en su poder: vendría repentinamente, en el futuro, conmoviendo a todo el mundo, tanto al mundo material como a los asuntos humanos.

II. La aparición de Jesús es la presencia del Reino de Dios aquí y ahora: Él se opone y derrota los efectos de la maldición y el reino del Diablo.

A. Cristo Jesús, en su persona, representa el *Reino de Dios aquí y ahora.*

1. Jesús se proclamó ser el *Mesías prometido*, por quien todos los efectos de la maldición, el pecado, la opresión demoníaca y la injusticia social serían derrotados.

   a. Con su venida dijo que el Reino estaba presente, Mc. 1.14-15.

   b. Se declaró a sí mismo como el siervo de Yahvé, quien pondría en su persona fin a toda opresión, Lc. 4.18-19.

   c. Él es *el Verbo hecho carne*, la verdadera manifestación de Dios venida al mundo en forma humana, Juan 1.14-18.

2. Jesús es la *presencia del futuro*.

   a. El cumplimiento de la promesa de Abraham, Gál. 3.13-14

   b. El que fue designado para rescindir los efectos de la maldición, comp. Is. 11

c.   El Vencedor que traería el completo fin al gobierno y autoridad de Satanás, comp. Gn. 3.15 con 1 Juan 3.8.

d.   El Mesías es el elegido de Dios para inaugurar la edad venidera en esta edad presente.

B.   El resumen general del rol de Jesús como *Mesías* cumple la promesa del Reino con respecto a aquel que derribaría los efectos de la maldición y las obras del diablo.

1.   La *misión* de Jesús el Mesías era destruir las obras del diablo, 1 Juan 3.8.

2.   El *nacimiento* de Jesús el Mesías representa que el Reino de Dios penetra al dominio de Satanás, Lc. 1.31-33.

3.   El *mensaje* de Jesús el Mesías era que el Reino de Dios estaba a la mano, presente para que todos lo vieran en su persona, Mc. 1.14-15.

4.   La *enseñanza* de Jesús el Mesías representa la ética del Reino, Mt. 5-7.

5.   Los *milagros* de Jesús el Mesías revelan a todos su autoridad para reinar y su poder para derrotar los efectos de la maldición sobre la creación material de Dios, ver Mc. 2.8-12, donde demuestra su autoridad para perdonar y sanar.

6.   Al echar fuera *demonios*, Jesús el Mesías, representa que se estaba "atando al hombre fuerte", como dijo en Lc. 11.14-20.

7. El *carácter sin igual* del Mesías revela el esplendor y la gloria divinos, propios del Padre, Juan 1.14-18.

8. La *muerte* del Mesías representa el pago de nuestra deuda por nuestro pecado y su castigo, junto con la derrota de Satanás, como dice Pablo en Col. 2.15 hizo una demostración abierta y exhibió públicamente su victoria en la cruz, donde nuestras deudas e injusticias fueron pagadas en su totalidad.

C. El Reino del Ya pero Todavía NO: dos manifestaciones del Reino de Dios.

1. En la presencia de Jesús, el Reino se exhibió y el reinado de Dios quedó inaugurado. Por medio de su muerte y resurrección, el príncipe rebelde, Satanás, el gran engañador y blasfemador fue herido, lisiado y atado, pero su destrucción vendrá después (comp. 1 Juan 3.8; Heb. 2.14-15; Col. 2.15).

2. En la Segunda Venida de Cristo (lo que los eruditos llaman la *Parousia* [griego para "segunda llegada"]) Satanás será finalmente destruido, su gobierno finalmente será derribado y la completa manifestación del poder reinante de Dios se revelará en la glorificación de los santos y en un cielo y una tierra restaurados, 1 Cor. 15.24-28.

III. El Mesías es opuesto por parte de poderes espirituales: Sanidades y la expulsión de demonios en la vida de Jesús

A. El Reino ha venido en Jesús: sanidades y milagros.

1. Las sanidades de Jesús fueron señales de su mesianismo y de la presencia del Reino en el mundo.

2. *Jesús se opuso a los efectos de la maldición*: fue dotado con autoridad sobre todos los efectos de la maldición, incluyendo enfermedades, corrupción e incluso la muerte.

    a. Él abrió los ojos a los ciegos, Juan 9.1-7.

    b. Dio de comer a más de 5,000 personas con unos pocos panes y peces, Mc. 6.30-44.

    c. Dio mandato a los vientos rugientes y a las tormentas, Mt. 8.23-27.

    d. Sanó a los cojos, los paralíticos y los lisiados, Mc. 2.1-12.

    e. Incluso resucitó personas, Juan 11.

3. Todos los milagros de Jesús fueron señales de su autoridad reinante como Mesías, para reafirmar el gobierno de Dios en la tierra.

    a. El ministerio de Jesús es una señal de su derecho para reinar y demostrar el poder de Dios en nuestro mundo, Hch. 10.36-38.

    b. A donde quiera que Jesús fuera, demostraba por sus milagros y sanidades que el gobierno de Dios había venido al mundo, Mt. 4.23-25.

B. El Reino que vino con Jesús: expulsión de demonios y opresión demoníaca.

    1. Que Jesús expulsara demonios y les ordenara que se fueran, es señal de su mesianismo.

a.   Él sanó a un muchacho poseído por un demonio, Mc. 9.14-29.

    b.   Curó al endemoniado violento en Gadara, Mt. 8.28-34.

    c.   Los demonios clamaban llenos de terror en su presencia, Mc. 1.24-25.

2. *Jesús se opuso al reino del diablo:* fue dotado con la autoridad de derrotar y atar todos los poderes del diablo, para destruir sus obras sobre la creación de Dios y la humanidad.

    a.   La destrucción y el dominio que Jesús ejerció sobre las fuerzas del diablo prueban su autoridad para reinar y la presencia del Reino en la tierra, Lc. 11.14-23.

    b.   Con la presencia reinante de Jesús, el Reino había llegado a estar entre la gente, Lc. 17.20-21.

    c.   El ministerio público de Jesús era saquear la casa del hombre fuerte, el diablo, y la reafirmación del derecho de Dios para gobernar sobre su propia casa, Mt. 12.24-29.

3. Todos los encuentros de Jesús con el diablo pueden verse como señales de su autoridad para reinar como Mesías y para reafirmar el Reino de Dios sobre la tierra.

    a.   Heb. 2.14

    b.   1 Juan 3.8b

2

Conclusión

» Jesús es el cumplimiento de la promesa mesiánica del Antiguo Testamento, de la esperanza que el Reino vendría.

» La venida del Mesías en la persona de Jesús difirió de la visión contemporánea judía, y aun así cumplió la promesa mesiánica del Reino.

» Jesús, como Mesías, recibió la oposición de grandes fuerzas espirituales y las venció durante su ministerio público en la tierra, incluyendo los efectos de la maldición y el señorío del diablo.

Las siguientes preguntas fueron diseñadas para ayudarle a repasar el material del segundo segmento del video. El Reino de Dios ha venido en la persona de Jesús de Nazaret, reafirmando el derecho de Dios para gobernar un mundo plagado por los efectos de la maldición y la opresión depravada del diablo. ¡Debe ser claro y conciso en sus respuestas, y siempre que sea posible, respáldelas con las Escrituras!

Seguimiento 2

Preguntas y reflexión acerca del contenido del video

1. En un párrafo corto o una declaración, explique los diferentes elementos que compusieron el concepto judío del Reino de Dios en el tiempo de Jesús. ¿Por qué los judíos de los días de Jesús tenían dificultad para creer que él, el humilde hijo de un carpintero de Nazaret, podría realmente ser el Mesías?

2. En cuanto al elemento del tiempo, ¿en qué difería el concepto judío de la perspectiva de Jesús mismo sobre la venida del Reino?

3. ¿En qué sentido declaró Jesús que las profecías del Reino venidero de Dios serían cumplidas en su persona en el tiempo de su ministerio? Debe ser específico.

4. ¿Cómo demuestran las sanidades y las expulsiones de Jesús que la promesa del Reino de Dios realmente se cumplió en los días mismos de Jesús?

5. La confrontación de Jesús con los poderes del enemigo revela su autoridad en este mundo. ¿Cómo nos ayuda este conflicto a entender, hoy en día, el ministerio del Mesías en el mundo?

6. Si el Reino ha venido en Jesús, entonces ¿por qué no han sido destruidas por completo todas las fuerzas e influencias malignas? ¿Existe una dimensión futura de Jesús en cuanto a la consumación del Reino? Si es así, ¿En qué consiste?

7. Jesús de Nazaret cumple la promesa del reino y por lo tanto, como el Mesías se opone a los efectos de la maldición y a las obras del reino de las tinieblas. ¿Cómo aplicamos esta autoridad del reino en nuestros propios ministerios y nuestras propias vidas en la ciudad donde vivimos?

CONEXIÓN

Resumen de conceptos importantes

Esta lección se enfoca en la oposición que recibió nuestro Señor, no sólo de parte de sus contemporáneos israelitas, sino también de esas fuerzas espirituales mayores, de la maldición, el diablo y la baja moral que opera en el mundo. Jesús de Nazaret cumple la promesa del Reino de Dios, reafirmando el gobierno de Dios en la tierra y demostrando tangiblemente en su persona y obra la victoria de Dios sobre el pecado, Satanás y la muerte.

- El contexto histórico en torno a Jesús en el tiempo que apareció en su ministerio público era dominado por la ocupación e influencia del imperio romano sobre el mundo en general, e Israel en particular.

- El dominio romano sobre el mundo, influyó por completo las diferentes perspectivas mundiales de los grupos contemporáneos de Jesús.

- La influencia de Roma sobre los contemporáneos de Jesús influyó positiva o negativamente y moldeó las reacciones de estos grupos hacia la persona y el mensaje de Jesús para Israel.

- Los principales grupos que interactuaron con el ministerio de Jesús fueron los saduceos, fariseos, zelotes y herodianos, juntamente con otros grupos que estaban vinculados y conectados con éstos.

- El concepto judío del Reino de Dios en el tiempo de Jesús, influenciado como estaba por la opresión de los poderes políticos, incluía su creencia que el Reino de Dios vendría en poder, restaurando el universo material y salvando a la humanidad del control de Satanás

- La perspectiva de Jesús era controversial para sus contemporáneos, ya que Jesús proclamó que el Reino estaba presente en su misma persona y en sus obras poderosas, demostradas en sus sanidades y expulsiones.

- Como verdadero, aunque inesperado Mesías, Jesús se opuso a los poderes espirituales ocultos que han tenido al mundo y a la humanidad cautivos desde la caída.

2

➤ Jesús de Nazaret cumple la promesa del Reino y por lo tanto, como Mesías, se opone a los efectos de la maldición y a las obras del reino de las tinieblas.

Aplicación del estudiante

Este es un buen momento para que discuta con sus compañeros de estudio sus preguntas acerca del significado práctico de la oposición que Jesús tuvo en su vida y ministerio como el Mesías en Israel. Una breve investigación de los textos bíblicos que muestran la oposición que Jesús recibió revela que el centro principal de su obra fue experimentar un conflicto implacable por parte de los que se le oponían en su propósito de hacer avanzar el Reino. Al considerar este elemento fundamental de la obra del Mesías, ¿qué clase de preguntas tiene acerca de su propia vida y ministerio? ¿Cómo influyen la oposición y el conflicto en las diferentes dimensiones de su propio servicio para el Señor hoy en día? Quizás algunas de las preguntas que siguen a continuación le ayuden a formular las suyas propias, las cuales sean más específicas y fundamentales.

* ¿Qué nos dice el nivel y la frecuencia de la oposición, conflicto, y persecución en la vida de Jesús acerca de la naturaleza de todo ministerio creciente del Reino hoy en día?

* ¿Hasta qué punto puede esperar un discípulo de Jesús, hoy en día, la clase de rechazo y oposición que acompañaron la vida de Jesús? ¿De qué manera la vida de Jesús es un patrón para nosotros, y en qué manera es su vida completamente única? Explique.

* Jesús de Nazaret cumple la promesa del Reino en su persona, así que, en un sentido muy real, el Reino de Dios ya vino. ¿Qué significa esta clase de enseñanza para el ministerio y la vida dentro de la ciudad? ¿Existen señales que el Reino haya venido a su vecindario? ¿Dónde?

* ¿En qué concuerdan o discrepan el evangelio de la sanidad-prosperidad con la visión de Jesús del Reino que vino en su persona misma?

* En un sentido, el Reino de Dios ya está aquí, pero todavía no fue consumado (es decir, el Reino del ya 7pero Todavía no). ¿Qué aspectos del Reino de Dios aún esperan la consumación completa y la revelación en la Segunda Venida de Jesús?

* ¿En qué maneras los ministros de la Iglesia continúan demostrando el cumplimiento de Jesús de Nazaret de la promesa del Reino por medio de su victoria sobre los efectos de la maldición y las obras del reino de las tinieblas?

Casos de estudio

¿Opresión demoníaca, posesión, o ambas?

 El hecho que el Reino de Dios haya venido en la persona de Jesús completamente redefine la relación del creyente y de la iglesia con el diablo. Por la obra de Jesús en la cruz, el creyente ya no está sujeto al dominio y poder del diablo; la victoria de Dios está al alcance de todo creyente que declara las obras de Cristo como suyas propias (1 Juan 3.8; Heb. 2.13 en adelante; Stg. 4.7; 1 Juan 5.4; Ef. 6.10-18; 2 Cor. 10.3-5). ¿Cuál es la posibilidad que los creyentes sean oprimidos por demonios, o de ser poseídos por demonios, o ambas cosas, o ninguna? ¿Qué debe hacer un creyente para experimentar continuamente la victoria ganada por él o ella por medio del sacrificio de la sangre de Jesus (Ap. 12.9 en adelante)?

El sufrimiento: ¿Una necesidad absoluta?

 Según Pablo, a los creyentes se les ha otorgado no sólo que crean en Él, sino que también sufran por la causa del Señor Jesús (Fil. 1.29 en adelante). Algunos enseñan el evangelio como si la victoria ganada por nuestro Señor sobre el pecado y el diablo significara prácticamente que ya no estamos sujetos al sufrimiento y a la persecución. Esta enseñanza podría sugerir que cuando un creyente está enfermo, deprimido, en luchas, en dudas, o en dolor, el problema se deba a que *él mismo ha provocado esa situación*, debido a su *falta de fe*. ¿Cómo describiría la necesidad del sufrimiento o la falta del mismo en la vida de un discípulo piadoso de Jesús? ¿Acaso todo creyente lavado en la sangre debe esperar también un bautismo de fuego por medio de la persecución del enemigo y de los enemigos de Dios, o puede ser completamente eliminado si se camina apropiadamente con Dios?

¿Una vergüenza para Cristo?

 Una enseñanza común en muchos círculos evangélicos es que nuestro Señor murió expresamente para eliminar la posibilidad de ciertas realidades negativas que se pudieran encontrar y soportar. Por su llaga fuimos sanados, declaran, y esto quiere decir que debemos confesar continuamente que tenemos una salud inquebrantable y que somos prósperos *en base al sufrimiento de Jesús en la cruz*. El hecho que Jesús sufriera por estas cosas quiere decir que el creyente no debería avergonzar a Cristo al ignorar su victoria, o socavándola con una fe débil o no bíblica. ¿A qué punto la obra de Jesús en la cruz garantiza que ciertos efectos del pecado y de la maldición ya *no deberían ser experimentados por aquellos que creen en Él?*

Matamos a nuestro hijo

Este es el título del libro escrito por una querida pareja cristiana, la cual confesó la sanidad de su hijo que padecía diabetes y luego lo vieron morir por falta de insulina. Debido a esto fueron acusados y se les halló culpables de negligencia en la muerte de su único hijo. ¿Cómo instruiría a los nuevos creyentes para que hagan la oración de fe para recibir sanidad, transformación y bendición, mientras que al mismo tiempo, le permiten a Dios el derecho de retener cualquier cosa de su hijo(a) por el bien de la disciplina, entrenamiento, y crecimiento?

El contexto histórico que rodeó a Jesús en el tiempo en que comenzó su ministerio público (es decir, el dominio de Roma sobre el mundo) influyó grandemente en la reacción de los contemporáneos de Jesús a su oferta del Reino. Los grupos principales incluían a los saduceos, fariseos, esenios, zelotes y los herodianos. El concepto judío del Reino de Dios en el tiempo de Jesús, influenciado como estaba por los poderes políticos, incluía la creencia que el Reino de Dios vendría en poder, restaurando el universo material y salvando a la humanidad del control de Satanás. Jesús, por otro lado, proclamó que el Reino estaba presente en él mismo, y demostró su realidad en su persona y en las obras de sanidades y expulsión de demonias.

Reafirmación de la tesis de la lección

Si le interesa profundizar algunas de las ideas sobre *El Mesías Opuesto,* quizás podría intentar con estos libros (algunos de estos t tulos pueden estar disponibles en español, o revise nuestro portal en la red cibernética para recursos adicionales en español):

Recursos y bibliografía

Ladd, George Eldon. *Crucial Questions about the Kingdom of God.* Grand Rapids: Eerdman's, 1952.

Willis, Wendell, ed. *The Kingdom of God in 20th Century Interpretation.* Peabody, MA: Hendrickson Editorial, 1987.

Si entendemos la naturaleza de la oposición que el Mesías experimentó comenzaremos a prepararnos para el ministerio del Reino ahora. Después que haya reflexionado mucho sobre la evidencia bíblica que muestra la perseverancia del Mesías frente a la oposición constante de su persona y su obra, debe aplicar esta enseñanza a su propia vida y servicio cristianos. Si está sirviendo a Jesús, ya sabe mucho de la verdad de estos textos sencillos. Ahora, en su vida y ministerio hoy día, ¿cómo podría el Espíritu Santo querer alentarle en su propia lucha contra el pecado, el diablo, la carne y el mundo? ¿Qué dificultades *internas*

Conexiones ministeriales

está peleando con la codicia y la pasión, qué influencias externas le atraen para distraerle y lograr que desobedezca siguiendo las tentaciones del mundo, y qué conflictos *infernales* tiene que librar con las mentiras y dudas del enemigo? Trate de localizar con toda precisión esas áreas que el Señor querría que considerara en su vida y ministerio prácticos, y en oración considere qué pasos él querría que tomara para que se vuelva a comprometer en la pelea como un soldado e hijo de Cristo.

Consejería y oración

Si algo queda en claro en base a la enseñanza de las Escrituras es que muchos de los pleitos del creyente se luchan en grupo; el enemigo no se pelea simplemente conmigo, sino que, pelea con nosotros. Para su apoyo, habilidad de responder, y crecimiento, necesita las oraciones y el consejo de otros que estén comprometidos con la misma batalla y dificultad que usted enfrenta, ya que ellos enfrentan lo mismo (1 Pe. 5.8-10). No dude en pedir a los creyentes en quienes confía que oren específicamente por usted en las áreas que necesita fortalecimiento y ayuda de Dios. Dios escuchará y contestará las oraciones de fe de sus hijos (Stg. 5.16). Busquen juntos el rostro del señor para su fortaleza y poder, y no se desanimen; él sabe que necesitamos de él y de su provisión (Fil. 4.13).

ASIGNATURAS

Versículos para memorizar

Juan 15.18-20

Lectura del texto asignado

Para prepararse para la clase, por favor visite www.tumi.org/libros para encontrar las lecturas asignadas de la próxima semana o pregunte a su mentor.

Otras asignaturas o tareas

Por favor, lea cuidadosamente las asignaturas anteriores, y al igual que la semana pasada, escriba un resumen breve de las misma, trayendo los resúmenes a clase la próxima semana (por favor mire el "Reporte de lectura" al final de esta lección). Es ahora también tiempo de empezar a pensar acerca de su proyecto ministerial, como también de decidir su texto escritural para el proyecto exegético. Estas son decisiones de peso, ya que estas tareas poseen gran peso en la calificación final de este curso. Por lo tanto, no demore en determinar su proyecto ministerial o exegético. ¡Cuanto antes elija, más tiempo tendrá para prepararse!

En esta lección hicimos un cuidadoso bosquejo de elementos, tanto sociales como espirituales, que se opusieron al ministerio de Jesús de Nazaret como Mesías de Dios. Jesús vino a la tierra reafirmando el derecho de Dios para gobernar en este mundo sobre el reino del diablo. Ahora, en nuestra siguiente lección, veremos cómo el Nuevo Testamento revela abiertamente la identidad de Jesús el Mesías en la gloriosa demostración de su persona y sus obras majestuosas, y finalmente, con gran poder a través de su sufrimiento y muerte a favor del mundo.

Esperamos ansiosamente la próxima lección

2

Nombre_____

Fecha_____

Por cada lectura asignada, escriba un resumen corto (uno o dos párrafos) del punto central del autor (si se le pide otro material o lee material adicional, use la parte de atrás de esta hoja).

Lectura 1

Título y autor: _____ páginas _____

Lectura 2

Título y autor: _____ páginas _____

LECCIÓN 3

El Mesías Revelado

Objetivos de la lección

¡Bienvenido en el poderoso nombre de Cristo Jesús! Después de leer, estudiar, disertar y aplicar los materiales de esta lección, usted podrá:

- Demostrar su entendimiento de la riqueza de Jesús el Mesías en su revelación personal, de la cual se habla en los relatos de los Evangelios.

- Mostrar cómo el Nuevo Testamento revela en forma poderosa la identidad mesiánica de Jesús, por su vida y carácter perfectos, por el liderazgo magistral para con los apóstoles, y por su sumisión como Hijo a su Padre.

- Describir cómo la Biblia deja en claro la identidad mesiánica de Jesús en su ministerio de enseñanza profética, así como también en sus demostraciones poderosas de poder, tanto en las señales y maravillas (milagros) como en los encuentros espectaculares con espíritus demoníacos.

- Bosquejar los episodios que constituyen el sufrimiento y la muerte de Jesús (su Pasión, por ejemplo), y mostrar cómo su muerte provee una revelación clara y bíblica de su rol como Mesías.

- Explicar cómo la confesión de Pedro acerca de la verdadera identidad de Jesús, acompañada por la predicción que Él mismo hizo de Su muerte, enfatizan el hecho que Jesús es el Mesías.

- Hacer una lista y brevemente comentar sobre los eventos finales de la vida de Jesús en la tierra: su entrada triunfal en Jerusalén, la Pascua con sus discípulos, al igual que los eventos en torno a su crucifixión y muerte; su oración agónica en Getsemaní, su muerte en la cruz y su posterior sepultura.

Devocional

Bendito el que viene en el nombre del Señor

Lea Mateo 21.1-16. En el reino de Dios, nada es como parece ser. Por lo menos esto es lo que parece llevarse a cabo en la entrada triunfal de nuestro Señor en Jerusalén, durante la última semana de vida en la tierra. En nuestros días de fanfarria y pompa, especialmente por parte de los ricos y poderosos en sus debuts e inauguraciones, el Señor del universo entra a la capital de Su compasión y amor. El Señor de los cielos, el Rey de Israel, el maestro que por largo tiempo fue esperado por el pueblo de Dios, entra en la gran ciudad–¿cómo lo hizo? Pide prestado el pollino de un residente y llega entre las ovaciones de alabanza de los peregrinos que entran en la ciudad para la celebración anual de la Pascua. ¿Dónde están los dignatarios, el deslumbre, el reconocimiento y la diversión? ¿Dónde están los desfiles, tributos, el dinero y el lujo? ¿Acaso lo son las palmas de los árboles, los mantos de los discípulos, los votos contrarios de sus críticos y el testimonio de un asno? Igual que todo lo demás en el notable ministerio mesiánico de nuestro Señor, el anuncio público de Su mesianismo para la nación en la capital es modesto y carece de ceremonias ostentosas.

¿Quién iba a pensar que el personaje más grande en toda la historia de la humanidad haría su entrada histórica como Rey en la ciudad sentado sobre un asno? La humildad de nuestro Señor es insondable e incomparable; su voluntad de servir al Padre no conoce fronteras, y su corazón late con un sólo deseo - la gloria de su Padre, el Dios de Israel. ¿Tiene usted, amigo, alguna idea de lo que significa tener la misma mentalidad que tuvo Cristo Jesús? ¡Mire la gracia, la humildad, la modestia y la mansedumbre! Nuestro Señor, el más famoso de todos, se convirtió en hombre y como hombre se humilló a sí mismo y fue obediente a su Padre, estando dispuesto a entrar en su ciudad montando un asno, adornado con las ropas que sus apóstoles le consiguieron, sobre una alfombra de ramas de palmera. Nada podría describir la profundidad del amor y la modestia de este carpintero bondadoso, nuestro Señor.

Ante la contemplación de tal modestia, las multitudes claman, "Bendito el que viene en el nombre del Señor". Unámonos a este clamor y demostremos en cada área de nuestras vidas nuestra lealtad a este gran Rey, quien también es el Siervo Sufriente de Yahvé Dios.

Después de recitar y/o cantar El Credo Niceno (localizado en el apéndice), haga la siguiente oración:

Oh Dios, para salvarnos entregaste a tu Hijo a una muerte dolorosa en la cruz y por su gloriosa resurrección nos libraste del poder del enemigo. Concede que podamos morir diariamente al pecado para poder vivir más cerca de él, en el gozo de la resurrección, por Cristo nuestro Señor.

~ Gregorio el Grande. **Orando con los Santos**. p. 43.

El Credo Niceno y oración

Prueba

Guarde sus notas, agrupe sus pensamientos y reflexiones y tome la prueba de la lección 2, *El Mesías Opuesto.*

Revisión de los versículos memorizados

Repase con un compañero, escriba y/o recite de memoria el texto del versículo asignado para la sesión de la última clase: Juan 15.18-20.

Entrega de tareas

Entregue su resumen de la lectura del texto asignado para la semana pasada, es decir, su respuesta breve y explicación de los puntos principales que el autor buscaba dejar en claro en el mismo (Reporte de lectura).

CONTACTO

La naturaleza de la verdadera grandeza

1 En una sociedad que mide el éxito por su tamaño, número, y poder, la vida cristiana ofrece una alternativa radical y revolucionaria. Jesús de Nazaret, aun siendo el personaje más grandioso del universo, el heredero de Dios e Hijo del mismo, demuestra en su modestia y humildad una nueva visión de lo que significa la "grandeza", la "fuerza", y el "poder". ¿Acaso la interpretación estadounidense de lo que es el éxito ha hecho que la iglesia rechace la perspectiva cristiana del verdadero éxito y de la genuina grandeza? Si es así, ¿Cómo?

¿Por qué el Mesías tuvo que morir?

2 Para muchos la visión Cristiana les resulta atractiva *como un sistema ético*, pero que a la vez rechazan su *entendimiento teológico*. Es que rechazan la idea de un sacrificio vicario por el pecado. Un sacrificio vicario es un *sacrificio en sustitución*, en el cual una cosa es dada en lugar de otra. Según la fe cristiana, el Mesías inocente y perfecto fue entregado como sacrificio para morir en lugar y en representación de la humanidad, la cual transgredió y rechazó la ley y la voluntad de Dios. Esta idea de un sacrificio de sangre a favor de los culpables, de alguien que muere a favor de toda la humanidad, parece ser difícil de entender. ¿Cómo es que la muerte de uno solo podría ser suficiente para satisfacer la deuda moral de miles de millones de seres humanos? ¿Cómo es que esto puede ser? Con la menor cantidad posible de palabras, provea una explicación para esta doctrina fundamental de la fe cristiana.

El misterio de la cruz

¿Ha pensado alguna vez lo que pasó por la mente de nuestro Señor al colgar en la cruz a favor del mundo? Rechazado por su Padre, abandonado por sus amigos y discípulos, traicionado injustamente y castigado cruelmente, el Mesías de Dios recibió en su propio cuerpo los golpes y heridas que nosotros merecíamos, ya que somos los pecadores culpables. En un sentido real, la cruz es un misterio, ya que Dios Hijo (Todopoderoso) cuelga de un madero para salvarnos de la ira de Dios Padre. Ninguna teología o credo, ningún poema, himno, sermón, actuación, cantata, sinfonía, u obra podría captar el misterio total de lo que se llevó a cabo en la Cruz, más o menos entre las 9 a.m. y las 3 p.m. de ese viernes remarcable, que los cristianos del mundo han denominado Viernes Santo. Santifique su imaginación por un momento y pregúntese: *dado lo que conocemos de las Escrituras y lo que hemos visto del ministerio de nuestro Señor, ¿qué estaría pensando nuestro Señor al estar en la cruz colgado, sufriendo por los pecados de los otros y por los míos?*

El Mesías Revelado

Segmento 1: Revelado por su persona y sus obras

Rev. Dr. Don L. Davis

La identidad de Jesús como Mesías se revela en su vida y carácter perfectos, el liderazgo magistral que ejerció sobre los apóstoles y el hecho de ser un Hijo sumiso a su Padre. El hecho que era el Mesías se justifica además y queda en claro por su enseñanza y ministerio proféticos, así como también por las evidentes demostraciones de poder, tanto en señales y maravillas (milagros) como en encuentros espectaculares con espíritus demoníacos.

Nuestro objetivo para este segmento, *Revelado por su persona y sus obras* es que pueda ver que:

- El hecho que Jesús es el Mesías es el propósito explícito y el testimonio claro de los relatos de los Evangelios en el Nuevo Testamento.

- La identidad de Jesús de Nazaret como el Mesías de Dios está poderosamente revelada por su vida y carácter perfectos, el liderazgo magistral que ejerció sobre los apóstoles y la sumisión como Hijo a su Padre.

- La auténtica identidad de Jesús como el Mesías se ve además por su ministerio de enseñanza profética, así como también en sus evidentes demostraciones de

CONTENIDO

Resumen introductorio al segmento 1

poder, tanto en señales y maravillas (milagros) como en encuentros espectaculares con espíritus demoníacos.

- La evidencia bíblica es abundante y también clara para afirmar que Jesús de Nazaret es efectivamente el único y verdadero Mesías prometido de Dios.

Video y bosquejo segmento 1

I. Jesús el Mesías es revelado por Su vida perfecta.

A. La encarnación: el Verbo hecho carne, Juan 1.14-18

1. El Verbo estaba con Dios y era Dios, fue encarnado.

2. Él fue la *agencia* a través de la cual Dios creó los mundos.

3. En su persona y obras, Él reveló en forma perfecta la gloria propia del Padre.

   a. Heb. 1.1-3

   b. 2 Cor. 4.4

   c. Col. 1.15-16

4. Desde el principio de su misión, *Jesús se anuncia y se revela a sí mismo como el Mesías prometido de antaño, el cumplimiento de la promesa a Abraham, el Siervo Sufriente del Señor, y el Rey del Reino de Dios.*

3

    a.   Su apertura anunció su identidad como la presencia viva del Reino, Mc. 1.14-15.

    b.   Su inauguración anunció su ministerio como el del Siervo Sufriente de YHWH, Is. 61.1-4 (comp. Lc. 4.18 en adelante).

B. Su carácter fue sin igual: todo su carácter reveló el principio del Reino de Dios.

    1.   Su nacimiento y niñez revelaron a Jesús como el escogido de Dios para traer *el reino soberano de Dios al mundo*, comp. Lc. 1.31-33.

    2.   Su bautismo y tentación revelan las profundidades de su propio carácter justo.

        a.   El bautismo revela el favor divino de Dios, Mt. 3.16-17.

        b.   La tentación revela su resolución para obedecer al Padre al nivel absoluto y exacto que el Padre desea y demanda, Mt. 4.10.

    3.   Todo su ministerio en Galilea (el primer año de su ministerio público) no fue ni fácil ni cómodo, sino que estuvo involucrado en la guerra espiritual, Mt. 4.23-25.

    4.   Glorificó al Padre en todo lo que dijo e hizo, Juan 17.3-5.

    5.   Hizo precisamente lo que el Padre demandó de él; no hizo nada de su propio acuerdo o autoridad.

a. Juan 5.30

b. Juan 8.28

c. Juan 12.49

d. Juan 5.19-20

e. Fil. 2.6-8

6. Tenía una personalidad poderosa y maravillosamente atractiva.

a. Aunque era perfecto y justo, su conducta y apertura lo hicieron completamente atractivo para los pecadores e impíos.

   (1) Mt. 9.10-11

   (2) Mt. 11.19

b. Se identificó con los humildes y los pobres, e incluyó dentro de su propia compañía a los que eran socialmente condenados, Lc. 14.12-14, 21.

c. Fue más allá de los límites de la justicia común, y no mostró parcialidad alguna para con quien que estuviera dispuesto a aceptar su llamado al Reino, Juan 8.3-10.

d. Afirmó su misión de buscar y salvar a los perdidos, Lc. 19.10.

3

7. Su carácter no tenía defecto; él no tuvo pecado, falta, o culpa (santidad perfecta en todos sus pensamientos, modales y conducta).

    a.   Is. 53.9

    b.   2 Cor. 5.21

    c.   Heb. 7.26

    d.   1 Juan 3.5

    e.   Heb. 4.15

II. El mesianismo de Jesús se revela a través de su liderazgo magistral y de su condición de Hijo de Dios.

A. Su elección de los apóstoles

    1.   Él los escogió en oración profunda al Padre, Mc. 3.13-15.

    2.   Los escogió para que ministraran a su lado y produjeran fruto en su nombre.

        a.   Lc. 6.13

        b.   Juan 15.19

c. Juan 15.16

 3. Les enseñó acerca de la promesa del Reino y de Su identidad como el Mesías venido, Mt. 13.

 4. Los amó hasta el final.

  a. Juan 13.1

  b. Juan 17.16

  c. Juan 17.26

 5. Modeló para ellos un estilo de vida triunfal, el cual ellos debían imitar y expresar, Juan 13.14-16.

B. Representó a su Padre con perfecta fidelidad, Mt. 11.27.

 1. Reveló la gloria del Padre.

  a. Juan 1.18

  b. Juan 17.6

  c. Juan 17.26

3

2. Comunicó la mente del Padre, Juan 15.15.

3. Se deleitó a sí mismo en cumplir la voluntad del Padre.

   a. Sal. 40.8

   b. Juan 4.32, 34

4. Glorificó el nombre del Padre.

   a. Juan 13.31-32

   b. Juan 5.36

   c. Juan 14.31

   d. Juan 17.4

III. El mesianismo de Jesús se revela por Su enseñanza profética.

A. En su cumplimiento de las promesas de salvación

   1. Jesús enseñó que el *tema* del Antiguo Testamento era su mismísima persona.

a. Juan 5.39-40

b. Lc. 24.27

c. Lc. 24.44

d. Heb. 10.7

2. Jesús comparte los mismos atributos y cualidades que YHWH.

a. En él todas las cosas fueron creadas, Juan 1.3.

b. Él es el *Salvador*, comp. Is. 45.22 con Juan 4.42.

c. Él resucita a los muertos, comp. 1 Sam. 2.6 con Juan 5.21.

d. Él es el *Juez* de toda la humanidad, comp. Joel 3.12 con Juan 5.27.

e. Él es la *Luz* del mundo, comp. Is. 60.19-20 con Juan 8.12.

f. Él es el *Yo Soy*, comp. Éxodo 3.14 con Juan 8.58.

g. Él es el *Pastor*, Sal. 23.1 con Juan 10.11.

h. Él es el *Primero* y el *Último*, Is. 41.4 con Ap. 1.17.

      i.   Él es el *Redentor*, Os. 13.14 con Ap. 5.9.

      j.   Él es el *Esposo*, Is. 62.5 Mt. 25.1 en adelante.

B.   Sobre la ética de la majestad del Reino: el Sermón del Monte

   1.   La misma persona de Jesús es el cumplimiento de la justicia requerida por la ley de Dios, Mt. 5.17-18.

   2.   Dio la interpretación final al significado de la promesa y el mandamiento del Antiguo Testamento, por ejemplo Mt. 5.27-28.

   3.   La enseñanza de Jesús representa la ética del Reino de Dios, proclamado ahora en su persona y su obra.

      a.   Su obra contrasta con la interpretación dada por los rabinos, Mt. 7.28-29 (comp. Mt. 15.1-9; Mc. 7.5 en adelante).

      b.   Su ética sobrepasa la justicia requerida por la tradición, Mt. 5.20.

      c.   Habló no como los escribas y rabinos: habló con autoridad absoluta para interpretar las Escrituras, porque *éstas testificaron de su persona y obra*, Juan 5.39-40.

   4.   Amar a Dios y a las personas: los mandamientos sobre los cuales se afirma y se mueve toda la Ley, Mt. 22.36-40.

3

C. En cuanto a introducir el Reino de Dios en su persona: sus parábolas

    1. La tercera parte de todas sus parábolas es sobre el Reino de Dios.

    2. Por medio de sus parábolas él revela una nueva imagen del Reino de Dios.

        a. No se trata de una bendición nacional ni de la destrucción de los gentiles.

        b. Es espiritual, establecida en la humildad, la gracia y el amor.

        c. Es tanto presente como futuro.

D. En su identificación única con los pobres y los perdidos

    1. Su inauguración en Nazaret, Lc. 4.18-19

    2. La autenticación de su mesianismo para Juan el Bautista, Lc. 7.20-23

    3. La verificación de la salvación de Zaqueo, Lc. 19.8-10

    4. Su completa identificación con los pobres en el juicio final, Mt. 25.34-40

3

IV. El mesianismo de Jesús se revela por el poder de Sus obras.

A. Las señales milagrosas y las maravillas que autenticaron su mesianismo.

1. Jesús demuestra su autoridad sobre todos los efectos de la maldición (por ejemplo, la resurrección de la hija de Jairo de entre los muertos), Lc. 8.40-56.

2. Jesús manifestó la bendición y abundancia del Reino de Dios presente en su persona, (por ejemplo, la alimentación de los cinco mil), Lc. 9.10-17.

B. La guerra reinante y la victoria sobre el diablo y sus secuaces

1. Jesús entendía que su misión era la de atar al diablo para entonces poder saquear su casa, Mt. 12.28-29.

2. ¡La obra personal de Jesús representó a Dios, reafirmando el derecho de gobernar sobre su creación y en los asuntos humanos, en el territorio que el diablo había reclamado como suyo! Lc. 10.17-20.

C. La Transfiguración: una ventana hacia la gloria del Hijo

1. Este incidente revela la gloria de la cual Jesús se despojó en su ministerio público en la tierra.

   a. Mt. 17.1-3

b.   Fil. 2.6-8

2.   El significado de esto es *profético y seguro*: se confirma que Jesús de Nazaret es el Mesías en base a la gloria revelada en la Transfiguración, 2 Pe. 1.16-18.

Conclusión

»   Jesús de Nazaret es el Mesías que se revela en la majestad de Su persona, específicamente por medio de Su vida perfecta, Su liderazgo y Su mesianismo en relación con el Padre.

»   La identidad mesiánica de Jesús está probada además por la excelencia de su ministerio de enseñanza profética, y por sus obras poderosas, las cuales demostraron que estaba ungido por el Espíritu Santo.

Seguimiento 1

Preguntas y reflexión acerca del contenido del video

Por favor, tome todo el tiempo que tenga disponible para contestar éstas y otras preguntas que el video haya hecho surgir. Quizás nada revele tanto la majestad y grandeza del carácter mesiánico de Jesús como la belleza de su persona, su virtud incomparable y sus obras de poder y gracia. ¡Debe ser claro y conciso en sus respuestas y siempre que sea posible, susténtelas con las Escrituras!

1.   ¿Por qué es importante que como creyentes establezcamos la evidencia auténtica que demuestra el mesianismo de Jesús en base a los relatos de los Evangelios en el Nuevo Testamento?

2.   ¿De qué manera la vida y el carácter perfectos dan testimonio de su identidad como Mesías? ¿Qué nos dice de la manera en que llamó y guió a sus discípulos?

3.   ¿Cómo es que las enseñanzas de Jesús sustentan la idea que él es el Mesías? ¿Qué es tan especial en su enseñanza y entendimiento que claramente testifica a favor de su declaración de ser el Siervo ungido de Dios?

4.   ¿Cómo es que el testimonio del evangelio en cuanto a la relación de Jesús con el Padre apoya la declaración que Jesús es el Mesías? ¿Qué es tan especial acerca de su relación que enfatiza la credibilidad de su reclamo de ser el Mesías?

3

5. ¿Por qué Jesús apela a sus obras como prueba de su mesianismo? ¿Cómo nos ayudan las mismas a defender nuestra creencia que Jesús efectivamente es el Mesías?

6. Describa los hechos en torno de la transformación de Jesús en la Transfiguración. ¿Cómo nos ayuda este evento a entender la relación especial de Jesús con los profetas del Antiguo Testamento? ¿Con el Padre? ¿Con su propia gloria en el pasado?

El Mesías Revelado

Segmento 2: Revelado por su pasión y resurrección

Rev. Dr. Don L. Davis

El sufrimiento y muerte de Jesús (es decir, su pasión) nos provee evidencia de la identidad de Jesús como el Mesías prometido. La confesión de Pedro sobre la verdadera identidad de Jesús como el Mesías, acompañada por la predicción de Cristo mismo sobre su muerte, y su resolución de ir a Jerusalén apoyan nuestra declaración que Jesús es el Mesías. Todos los eventos de la última semana del Señor, desde la entrada triunfal en Jerusalén hasta su oración agónica en Getsemaní, su sufrimiento, crucifixión y su sepultura dan fuerte e innegable testimonio de la identidad de Jesús como el Mesías de Dios, el Hijo de Dios.

Resumen introductorio al segmento 2

Nuestro objetivo para este segmento, *Revelado por su pasión y resurrección,* es para que pueda ver que:

- El sufrimiento y la muerte de Jesús (es decir, su pasión) nos proveen una evidencia clara de su declaración de ser el Mesías prometido.

- La confesión de Pedro que Jesús es el Mesías del Dios viviente, acompañada por la predicción del Señor sobre su muerte y Su resolución de ir a Jerusalén, revelan su intención de cumplir la profecía bíblica en cuanto al Mesías.

- La última semana de Jesús incluye su entrada triunfal en Jerusalén, el encuentro con los líderes judíos, y celebrar la Pascua con sus discípulos (que es cuando anuncia el nuevo pacto en su sangre).

- Los últimos eventos del Mesías durante su semana de la pasión incluyen los diferentes eventos en torno a su crucifixión y muerte, su oración agónica en Getsemaní, su muerte en la cruz y su sepultura en la tumba. Estos eventos dan un fuerte e innegable testimonio de la identidad de Jesús como el Mesías de Dios, el Hijo de Dios.

3

I. La gran confesión y el viaje hacia Jerusalén

A. La confesión de Pedro, Mt. 16.15-18

    1. Jesús es el Hijo de Dios, Juan 20.31.

    2. Jesús es el Mesías de Dios, Juan 11.27.

    3. Jesús es el Hijo del Hombre de la profecía del Antiguo Testamento.

    4. Jesús es el Siervo Sufriente de la profecía del Antiguo Testamento.

    5. El "Secreto Mesiánico": (William Wrede, 1901)

        a. Definición: el mandato de Jesús a personas sanadas, a los discípulos, y a otros, de no reportar obras milagrosas que manifestaban la identidad de Jesús a otros

        b. Posible explicación: Juan 6.15

B. Las predicciones de Jesús sobre la pasión

    1. Del sufrimiento, muerte y resurrección del Mesías

        a. Mc. 8.31

        b. Mc. 9.31

3

c.   Mc. 10.33-34

2.   La naturaleza del discipulado: compartir el sufrimiento y la pasión del Mesías (Mc. 8.34 en adelante; 9.33; 10.3 en adelante)

a.   Compartir el estigma de Jesús como el siervo de todos, Mc. 9.34-35

b.   Compartir el sufrimiento y la muerte del Mesías

(1)   Mc. 8.34-37

(2)   Juan 12.23-26

C.   La Transfiguración, Mc. 9.2-4

1.   Una demostración momentánea de su gloria preexistente, (comp. Fil. 2.6-8)

2.   Una autenticación de la conexión de Jesús con la revelación del Antiguo Testamento (preste atención a Elías y Moisés)

3.   Una palabra profética cierta y segura: la autenticación del Padre acerca de la identidad de Jesús, 2 Pedro 1.16-18

II. La entrada triunfal de Jesús a Jerusalén, Marcos 11.7-10

A.   La Entrada Triunfal, Mc. 11.1-11

1.   Cumplimiento de la profecía mesiánica del Antiguo Testamento, Zac. 9.9

2. Se presenta a sí mismo como Mesías y Rey del Reino de Dios, de una clase diferente.

    a. Este no viene con una preferencia nacional hacia Israel.

    b. No trae como resultado la derrota catastrófica de la gloria de los gentiles.

    c. Se presentó en la humilde persona de Jesús y el Reino de vida que él representa y proclama.

B. Eventos simbólicos que muestran el fin del ministerio de Jesús.

    1. La maldición de la higuera, Mc. 11.12-14. La nación de Israel, la higuera agradable de Dios, falló en su misión de dar fruto a la luz de la revelación de la gracia de Dios (comp. Os. 9.10).

    2. La segunda limpieza del templo, Mt. 21.12-13 (Jesús, en la primera limpieza se mostró a sí mismo como el mensajero y el reformador de Dios; en esta segunda limpieza, audazmente juzga el sistema del templo y a los que lo atendían).

    3. La visita de los griegos, Juan 12.20-50. Jesús habla de su muerte y Juan provee un comentario que relaciona a Cristo con el YHWH de Isaías 6.

C. Encuentros y controversia con los líderes judíos

    1. Deseos de destruir y atrapar

3

a.   Preguntas sobre la autoridad de Jesús, Mt. 21.23-27

        b.   Tres parábolas de advertencia, Mc. 12.1-12

            (1) Los dos hijos

            (2) Los labradores malvados

            (3) La fiesta de bodas

    2.   El juicio de Jesús sobre la espiritualidad de los Fariseos, Mt. 23.1-39

D. El Discurso del Monte de los Olivos (Mt. 24-25): *Jesús dice que habla con autoridad acerca del fin del tiempo, y además declara que él mismo estará en el centro de estos eventos finales en la historia de la humanidad.*

    1.   Jesús, como Mesías, predice la destrucción del templo y de Jerusalén.

    2.   Lecciones: la higuera, los días de Noé, el ladrón en la noche, el dueño de casa que está de viaje, los mayordomos sabios y malvados

    3.   Moraleja de las historias: velad y estar listos, porque no sabéis precisamente cuándo el Hijo del Hombre regresará (comp. Mt. 25.13).

E. Preparación para la traición: encuentro de Judas con los líderes, Mt. 26.14-16

    1.   Jesús reprocha a Judas por haber despreciado el ungimiento de la mujer, Mc. 14.3-9.

2. "Pago por adelantado": treinta piezas de plata es el *precio de la traición* de Judas (ver Éx. 21.32, ¡Jesús fue vendido a sus enemigos por la misma cantidad que se pagaba cuando un esclavo era acorneado por un buey!)

F. La Última Cena

1. La preparación de la Pascua, Lc. 22.7-13

   a. Ver Éx. 12.1-20 para entender qué cosas incluía la preparación.

   b. Poderoso cuadro: *Jesús es el Cordero de Dios, y Él preparaba su propio sacrificio para pagar la deuda del pecado y vencer así los poderes del diablo* (Juan 1.29; Heb. 2.14-15).

2. Impactante escena del Nuevo Testamento: Jesús, el Cordero Pascual de Dios, comparte la Pascua con sus discípulos, Mt. 26.20.

3. Al lavar los pies de los discípulos, *Jesús demuestra en forma impactante la verdadera naturaleza de su corazón divino y su servicio.* Juan 13.1-20.

   a. Un hecho notable de humildad: tarea típica de un esclavo que lavaba los pies de los huéspedes que habían venido por calles polvorientas.

   b. Lo hizo con una conciencia total de cuál era Su procedencia y hacia dónde iba.

   c. La señal más verdadera que refleja que uno comparte la vida con Jesús como Su discípulo: lavándonos los pies unos a otros.

3

4. Institución de la Cena del Señor, Mt. 26.26-29

    a. Jesús, el *mediador mesiánico del Nuevo Pacto* instituye la Cena del Señor.

    b. Hecho como un acto profético para recordar la majestad del sacrificio de Jesús hasta que regrese otra vez, 1 Cor. 11.23-26.

5. El Discurso en el Aposento Alto (Juan 13-16): *Jesús revela claramente su entendimiento sobre la intimidad que tiene con Dios como su Hijo unigénito, y sugiere que una vez glorificado mandará su Espíritu Santo sobre los apóstoles para ayudarlos en su misión continua.*

    a. Jesús predice su partida, Juan 13.36-14.31.

    b. *Jesús es el origen de toda vida y fruto espiritual,* Juan 15.1-27.

    c. Jesús revela el futuro, incluyendo el envío del Espíritu Santo, Juan 16.1-33.

6. La gran oración de Jesús como Sumo Sacerdote, Juan 17.1-26

    a. La gloria del Padre y la oración de Jesús para ser restaurado a esa gloria, Juan 17.1-5

    b. Jesús pide a favor de sus apóstoles, Juan 17.6-16.

c.   Jesús ora por la Palabra, Juan 17.17-19.

      d.   Jesús ora por aquellos que creen por medio de las palabras de los apóstoles, y su relación con Dios, mutua y con el mundo, Juan 17.20-26.

    7.   Predice la negación de Pedro, Mt. 26.31-35.

III. El sufrimiento de Jesús como el cordero de Dios

A. La agonía en el Getsemaní, Mc. 14.32-42

B. La Traición: La traición de Judas y la negación de Pedro (Lc. 22.47-54; Juan 18.2-12)

    1.   La profecía y el cumplimiento de la negación que Pedro hizo de Cristo

    2.   La profecía y el cumplimiento del remordimiento y suicidio de Judas

    3.   *Jesús revela su mesianismo en su ministerio profético, aun en medio de su Pasión.*

C. Los juicios judíos y romanos

    1.   El juicio judío: ¿eres tú el Mesías o no?

3

a.   Tres ejemplos de juicio

        (1) Delante de Anás, *suegro de Caifás, el sumo sacerdote ese año*, Juan 18.13-14, 19-23

        (2) Delante de Caifás, Mc. 14.53-65

        (3) Delante del Concilio Final del Sanedrín, Lc. 22.66-71

    b.   Le preguntan directamente Jesús en cuanto a su mesianismo, Mc. 14.61-62

    c.   Jesús también responde directamente, comp. Dn. 7.13 y Sal. 110.1.

    2. Los juicios romanos: Poncio Pilato, Herodes (aquí sólo Lucas es mencionado)

        Tres ejemplos de juicio

        (1) Delante de Pilato, Lc. 23.1-5

        (2) Delante del rey Herodes, Lc. 23.6-12

        (3) Delante de Pilato otra vez, Lc. 23.13-25

D. La negación de Pedro y el suicidio de Judas

    1. La amarga cobardía y negación de Pedro, Juan 18.15-18, 25-27

    2. El remordimiento y suicidio de Judas, Mt. 27.3-10

    3. Ironía: *una parcela de tierra a nombre de Judas, Hch. 1.18-20; ¡eran capaces de condenar ilegalmente al inocente Jesús, pero no eran capaces de aceptar el dinero de Judas porque era en contra de la ley!*

E. La crucifixión del Mesías, Mt. 27.31-56; Mc. 15.20-41; Lc. 23.26-49; Juan 19.17-37

1. La crucifixión era un método romano de ejecución que era *insoportablemente lento, públicamente humillante e increíblemente doloroso.*

2. Una forma de ejecución reservada para los esclavos y criminales de la peor clase

3. Las Siete Palabras de la Cruz: el sufrimiento y la muerte del Mesías

   a. El Mesías manifiesta *misericordia* para sus ejecutores, Lc. 23.34.

   b. El Mesías promete *liberación* para el penitente, Lc. 23.43.

   c. El Mesías, como Hijo amado, hace *provisión* para su madre, Juan 19.26-28.

   d. El Mesías siente la *separación del Señor*, Mt. 27.46.

   e. El Mesías habla para *cumplir las Escrituras,* Juan 19.28.

   f. El Mesías exclama diciendo que se había *cumplido la profecía Bíblica* y la obra de nuestra *redención*, Juan 19.30.

   g. El Mesías *encomienda su Espíritu* en las manos del Señor, Lc. 23.46.

3

F.   La sepultura del cuerpo del Mesías, Mt. 27.57-66

1.   José de Arimatea, Mt. 27.57 (miembro devoto del Sanedrín) recupera el cuerpo de Jesús.

2.   La sepultura del cuerpo de Jesús es el cumplimiento de Is. 53.9.

3.   Nicodemo y José: Nicodemo dio la mirra y los aceites, y José las envolturas y la tumba nueva.

a.   Mt. 27.60

b.   Juan 19.39

4.   La tumba es sellada y se colocan guardias por petición de los líderes judíos, Juan 19.38-42

Jesús el Mesías es colocado ya muerto en la tumba. Pero la historia no termina aquí . . .

Conclusión

»   La última semana de Jesús provee convincentes evidencias para de su declaración de ser el Mesías.

»   En su sufrimiento en la cruz del Calvario, Jesús evidencia en forma clara y convincente su amor por el Padre, su compromiso con la humanidad, y su identidad como el Cordero Pascual de Dios.

»   Todos los eventos que conducen hasta la muerte de Jesús hablan de él como el Inocente, siendo únicamente su muerte la que puede cancelar, de una vez y para siempre, nuestra deuda de pecado con Dios, venciendo así los efectos de la maldición y destruyendo las obras del diablo.

Seguimiento 2

Preguntas y reflexión acerca del contenido del video

Las siguientes preguntas fueron diseñadas para ayudarle a repasar el material del segundo segmento del video. No existe misterio más grande, ni se ha declarado maravilla mayor que la gran humildad y pasión de nuestro Señor Jesús, quien en obediencia a Dios, entregó totalmente su voluntad y se dio a sí mismo para morir a favor de aquellos que llegarían a creer en Él. ¡Debe ser claro y conciso en sus respuestas, y siempre que sea posible, susténtelas con las Escrituras!

1. ¿Cuál es el significado de la confesión de Pedro acerca del mesianismo de Jesús? ¿Cómo describe Jesús a Pedro la importancia de esta revelación? ¿Qué es lo que Jesús inmediatamente empieza a testificar después de este reconocimiento de su verdadera identidad?

2. En las palabras de Jesús, ¿cuál es la naturaleza precisa del discipulado, especialmente a la luz de que el Mesías sería crucificado? ¿Cómo es que compartir los sufrimientos del Mesías tiene que ver con la verdadera identidad de todos los que profesan pertenecer a él?

3. ¿Cuál es el significado bíblico de la Entrada Triunfal de Jesús a Jerusalén el último domingo de su vida? ¿Qué aprendemos aquí acerca de la naturaleza del verdadero liderazgo y la verdadera gloria?

4. ¿Cómo ayudan los encuentros de Jesús con los líderes judíos a explicar su incapacidad de aceptar a Jesús como su legítimo Mesías?

5. ¿En qué forma Jesús se revela a Sí mismo como nuestra Pascua, incluso al partir el pan del pacto con sus discípulos en la Última Cena? ¿Cómo es que el Nuevo Pacto se relaciona con este evento?

6. ¿Qué verdades claves prometió Jesús a sus discípulos en el discurso del Aposento Alto, un poco antes de su traición y su muerte? Además, ¿qué pidió Jesús a favor de los suyos durante la oración como Sumo Sacerdote delante de sus discípulos?

7. Describa la agonía de Jesús en Getsemaní. ¿Cuál fue la naturaleza precisa de su petición durante este tiempo de prueba?

8. ¿Cuál fue la razón esencial de los tres juicios que tuvo Jesús, delante del Sanedrín, de Herodes y de Pilato? Explique su respuesta.

9. ¿Qué aprendemos del corazón de Jesús en su sufrimiento y muerte en la cruz? ¿Qué aprendemos del amor de nuestro Padre? ¿Y de la identidad de Jesús como el Mesías?

3

10. ¿Cómo ayudan los hechos en torno a la sepultura de Jesús a apoyar la noción que Él realmente murió y no meramente (como algunos declaran) se desmayó en la cruz?

Esta lección enfatiza los eventos que conducen al sufrimiento, la crucifixión, y la muerte de Jesús el Mesías. En un sentido real, la Pasión de Jesús prueba que él es el Cordero de Dios, el escogido de Dios para llevar el pecado y la culpa de todo el mundo. En este sufrimiento, su identidad como Mesías es completamente manifestada.

- Revelar a Jesús como el Mesías es el propósito explícito y el testimonio claro de los relatos de los Evangelios.

- Jesús de Nazaret se manifiesta como el Mesías de Dios por medio de su vida y carácter perfectos, el liderazgo magistral ejercido sobre los apóstoles, y la sumisión como Hijo a su Padre.

- Se da una prueba adicional en cuanto al llamado mesiánico de Jesús a través de su ministerio de enseñanza profética, así como también a través de las grandes demostraciones de poder, tanto en señales y maravillas (milagros) como en encuentros espectaculares con espíritus demoníacos.

- Los eventos que llevaron al sufrimiento y la muerte de Jesús (es decir, su Pasión) nos proveen una convincente evidencia adicional de su declaración de ser el Mesías prometido.

- Los últimos eventos de la vida de Jesús, es decir, la confesión de Pedro que Jesús es el Mesías del Dios viviente, acompañada por la predicción del Señor sobre su muerte, muestran su resolución de cumplir la profecía bíblica en cuanto a los sufrimientos del Mesías en la cruz.

- La última semana de Jesús incluye su entrada triunfal en Jerusalén, sus encuentros con los líderes judíos, y el compartir la cena Pascual con sus discípulos, que es cuando anuncia el Nuevo Pacto en su sangre.

- Los Evangelios relatan los eventos finales durante la semana de la Pasión de Jesús. Estos eventos incluyen su oración agónica en Getsemaní, los juicios delante del Sanedrín, de Herodes y Pilato, sus azotes, su condena, y finalmente su crucifixión, muerte en la cruz y su sepultura en la tumba. Estos eventos brindan un fuerte e innegable testimonio de la identidad de Jesús como el Mesías de Dios, el Hijo de Dios.

Aplicación del estudiante

Ahora es el momento para que discuta con sus compañeros de estudio sus preguntas acerca de la revelación de Jesús y su verdadero mesianismo, manifestado en su sufrimiento y crucifixión Al considerar la abrumadora evidencia de la semana de la Pasión de Jesús, es decir, aquellos eventos que llevaron hasta su muerte en la cruz, ¿qué temas específicos y preocupaciones surgen en su estudio de este material? ¿Qué preguntas surgen ahora en cuanto a su propio entendimiento y apreciación del sufrimiento de Jesús a favor nuestro? ¿Cómo se siente al meditar sobre este material? ¿Cómo es que Dios ha conmovido su corazón en cuanto a la importancia del material que acaba de estudiar? Quizás algunas de las preguntas que siguen a continuación le ayuden a formular las suyas propias, las cuales sean más específicas y fundamentales.

* ¿Podría Jesús ser realmente el Mesías sin su sufrimiento y muerte en la cruz? Explique.

* ¿Por qué es absolutamente necesario estar seguro de la identidad del Mesías? ¿Hay alguna diferencia entre el *Cristo de la fe* y el *Jesús de la historia*, o deben siempre entenderse como *uno y el mismo*?

* ¿En qué sentido la experiencia de Jesús en la cruz es el *estándar y el patrón* de todo discipulado y espiritualidad auténticos? Explique su respuesta.

* ¿Qué piensa acerca de la conciencia que Jesús tenía sobre la necesidad de cumplir la Escritura, aun en medio de sus peores y más dolorosos momentos de tortura y sufrimiento? ¿Qué sugiere esto acerca de la importancia de la Escritura para entender la verdadera identidad del Mesías de Dios?

* ¿Cómo nos ayudan las "Siete Palabras de la Cruz" a entender la mente de Jesús en esos momentos finales y casi insoportables de su vida?

* ¿En qué sentido debemos entender a nuestro Señor Jesús como "nuestra Pascua" (1 Cor. 5.7)? ¿Cómo nos ayudan la celebración original de la Pascua y la celebración de nuestro Señor del mismo evento a entender la naturaleza de Jesús como *nuestra Pascua?*

* El cuerpo de Jesús es sepultado en una tumba prestada. ¿Por qué cree que la sepultura de Jesús sea tan prominente en el mensaje del evangelio (ver 1 Cor. 15.3-4), y también en la historia, como en el caso de documentos tan importantes como El Credo Niceno (ver, "fue crucificado, muerto, y sepultado . . .")?

* ¿Por qué la religión cristiana debe entenderse sólo a la luz de la agonía y los sufrimientos de Jesús en la cruz? ¿Por qué es imposible dar una explicación completa y satisfactoria sobre la naturaleza de la fe cristiana sin enfatizar y enfocar en su sufrimiento, crucifixión, muerte y resurrección?

3

Tú eres el Cristo, el Hijo del Dios viviente

Al discutir la importancia de la confesión de Pedro en Cesarea de Filipos, un estudiante de la Escuela Dominical sugiere, "Puesto que ya conocíamos que Jesús era el Mesías desde el comienzo mismo de nuestra lectura de los Evangelios, ¿por qué Jesús hace tanto alarde por la comprensión y confesión de Pedro? Muchas personas hoy en día podrían decir que Jesús es el Mesías, aun muchas personas lo llaman Cristo Jesús (lo cual significa Mesías), pero no actúan como si esto significara algo importante para ellos. ¿Puede una persona llamar a Jesús el Cristo, el Hijo de Dios, y a la vez que no signifique lo que Pedro pensó que significaba?" ¿Cómo respondería la pregunta de este estudiante?

No al principio

En una iglesia creciente que se enfoca en ser sensible a los visitantes, el Concilio de Ancianos ve que emerge una confrontación. Aunque ha habido gran entusiasmo por el crecimiento de la iglesia (más del 300% en los últimos dos años), existe una preocupación creciente entre los ancianos, la cual dice que su evangelio se está convirtiendo en algo sin sangre y sin cruz. Los mensajes directos y francos acerca del amor de Dios que mostró en la cruz del Calvario, sobre el juicio final y la necesidad de la gracia salvadora, han sido reemplazados con mensajes agradables sobre el significado de la familia, la importancia de la integridad y la necesidad de cuidar nuestros asuntos financieros. Estos mensajes no ofenden a nadie, pero, como sugiere uno de los ancianos, tampoco despiertan a nadie frente a su necesidad urgente por la sangre de la cruz. La estrategia es primeramente crear una amistad con estas queridas personas, compartir con ellas como amigos y vecinos y compartir los asuntos importantes del evangelio sólo después que se haya establecido una relación. Si fuera llamado para aconsejar al Concilio, ¿cuál sería su respuesta al desafío de dicha situación?

Un engaño antisemita

Un famoso orador está causando una revuelta en el vecindario local. En una conferencia gratuita, un profesor de una de las grandes escuelas de divinidad, recientemente sugirió que la religión Cristiana, tal y como ha sido enseñada históricamente, es completamente falsa y carece de la verdad así como está presentada en los Evangelios. Los líderes judíos de la época de Jesús tenían un profundo entendimiento de la gracia, añoraban a un Mesías que los liberara y tuviera un fuerte entendimiento de la salvación de Dios por medio de Su misericordia y no por las obras de uno mismo en obediencia a la ley. El orador declara que, basado en la información histórica más reciente que está a nuestro alcance, el relato acerca de los líderes judíos en los Evangelios es simplemente "una mentira total". Algunos alumnos suyos del seminario asistieron a la conferencia y están muy molestos sobre las implicaciones de la misma. ¿Cómo respondería a las declaraciones del orador, las cuales ponen en duda la verdad de los Evangelios?

Reafirmación de la tesis de la lección

La autenticidad de Jesús el Mesías se establece y se basa en los relatos de los Evangelios. La identidad mesiánica de Jesús se revela con poder por medio de su vida y carácter perfectos, el liderazgo magistral ejercido sobre los apóstoles y la sumisión como Hijo a su Padre. Una prueba adicional de la declaración de Jesús se encuentra en el carácter de su ministerio de enseñanza profética, así como también en sus grandes demostraciones de poder, tanto en las señales y maravillas (milagros) como en los encuentros espectaculares con espíritus demoníacos. Los episodios y eventos que componen el sufrimiento y muerte de Jesus (es decir, su Pasión) enfatizan su identidad como Mesías. Estos eventos, desde su entrada triunfal en Jerusalén hasta su sufrimiento, crucifixión y sepultura, todos apuntan a su identidad como el Mesías prometido de Dios.

Recursos y bibliografía

Si le interesa profundizar algunas de la ideas de *El Mesías Revelado*, puede intentar con estos libros (algunos de estos t tulos pueden estar disponibles en español, o revise nuestro portal en la red cibernética para recursos adicionales en español):

Aulen, Gustaf. *Cristus Victor*. Trans. A. G. Hebert. New York: Collier Books, 1969.

Stott, John R. W. *The Cross of Crist*. Downers Grove: InterVarsity Press, 1986.

Conexiones ministeriales

El poder de los sufrimientos del Mesías es sumamente conmovedor. En cierta forma, no se puede entender un ministerio si no se comprende lo que significa que el Salvador sufriera por nosotros. Toda predicación, enseñanza, ministerio y cuidado están arraigados en la mente del que dejó todo por nosotros, por amor y obediencia a su Padre. El gran apóstol Pablo pudo decir que él mismo fue crucificado con el Señor Jesús, por lo cual vivió por el poder del Mesías que moraba dentro de él, el mismísimo que lo amó y se dio a sí mismo por él (Gál. 2.20). La habilidad de entender y aferrarse a estas verdades y hacerlas vivas en su propia vida y ministerio por medio de su iglesia es precisamente la razón de este currículo. Pregúntese honestamente: ¿Represento yo en mi vida el *significado y el poder de la cruz del Mesías*? ¿Estoy dispuesto a entrar en sus sufrimientos a favor de otros para que yo también pueda ser usado y derramado como una ofrenda para la salvación de otros? ¿Ha tocado Dios alguna área de mi corazón, llamándome a un amor y una fe más grandes en Jesús, y por lo tanto, como su vaso más limpio, estar más apto para darme a mí mismo a él como su instrumento? Escuche cuidadosamente al Espíritu Santo, y explore el significado de estas verdades para su vida hoy, allí mismo donde esté.

En un Espíritu de reverencia y franqueza ante Dios, encomiende las áreas que Dios le ha revelado en las que él deba obrar y sanar. Permita que Dios el Espíritu Santo ablande su corazón, le quebrante en cualquier área en la cual haya negado Su presencia, para que sea limpio de cualquier pecado obsesivo o escondido con el cual haya jugado o al cual esté aferrado. Deje que el Espíritu Santo use lo que le ha revelado sobre los sufrimientos y la muerte del Mesías para que clarifique los siguientes pasos que debe tomar en su propio ministerio, como siervo y ministro de Cristo, para cambiar, aceptar y crecer dentro de ello. Comparta sus ideas con su compañero de oración, su pastor, su cónyuge, o amigo(a), busque su intercesión constante a su favor. Confíe en Dios para que le continúe guiando paso a paso al procurar aplicar las verdades que él ha revelado en medio de su meditación. Sepa siempre que su mentor está muy abierto para acompañarle en esto, y sus líderes de iglesia, especialmente su pastor, puede estar especialmente equipado para ayudarle a contestar algunas preguntas difíciles que surjan de su reflexión sobre este estudio. Debe estar abierto y permitir que Dios le guíe como él determine.

Consejería y oración

3

ASIGNATURAS

Lucas 24.44-49

**Versículos
para memorizar**

Para prepararse para la clase, por favor visite www.tumi.org/libros para encontrar las lecturas asignadas de la próxima semana o pregunte a su mentor.

**Lectura del
texto asignado**

Como de costumbre, debe venir con su Reporte de lectura del texto asignado conteniendo su resumen del material de lectura para la semana. También, debe haber seleccionado el texto para su proyecto exegético, y entregar la propuesta para su proyecto ministerial.

**Otras asignaturas
o tareas**

Esperamos ansiosamente la próxima lección

En esta lección vimos cómo la gloria de Jesús como Mesías se reveló en su vida perfecta, en su liderazgo, en su conducta como Hijo, su ministerio de enseñanza profética, sus obras milagrosas, su sufrimiento y crucifixión. En nuestra lección final, veremos la vindicación de Jesús como Mesías, cuya resurrección, ascensión, y el don de su Santo Espíritu prueban tanto su divinidad como Hijo, como también la seguridad de su exaltación venidera.

3

Curso 13: El Nuevo Testamento Testifica de Cristo
Reporte de lectura

Nombre_____

Fecha_____

Por cada lectura asignada escriba un resumen corto (uno o dos párrafos) del punto central del autor (si se le pide otro material o lee material adicional, use la parte de atrás de esta hoja).

Lectura 1

Título y autor: _____ páginas _____

Lectura 2

Título y autor: _____ páginas _____

El Mesías Justificado

¡Bienvenido en el poderoso nombre de Cristo Jesús! Después de leer, estudiar, disertar y aplicar los materiales de esta lección, usted podrá:

**Objetivos de
la lección**

- Recitar los hechos básicos relacionados con el significado de la resurrección de Jesús, el Mesías, y cómo la total credibilidad de nuestra teología, fe y ministerio están basados en la certeza histórica que Jesús fue levantado de los muertos.

- Proveer una lista de las diferentes apariciones de Jesús, comenzando con su resurrección de la tumba hasta su aparición a los apóstoles en el Mar de Galilea.

- Recitar la evidencia bíblica que vindica la identidad mesiánica de Cristo Jesús a través del testimonio apostólico que Él fue levantado de los muertos.

- Declarar brevemente cómo la Gran Comisión sirve como una justificación continua de la identidad de Jesús como el Mesías, y la importancia de esta comisión en relación tanto con el cumplimiento de la profecía como también con la misión global.

- Mostrar cómo la Gran Comisión se repite en las apariciones de Jesús después de su resurrección, y cómo Él demostró su resurrección a los apóstoles durante un período de cuarenta días de manifestación.

- Argumentar en base a la importancia y relevancia de la ascensión de Cristo, que se trata de la última señal histórica que da evidencia que Jesús de Nazaret es el Mesías de Dios.

Devocional

Él no está aquí. Ha resucitado.

Lea Marcos 16.1-8. ¿Se puede imaginar el nivel del quebrantamiento espiritual del grupo apostólico después de la crucifixión de Jesús? Todas sus esperanzas y sueños, todas las expectativas para un reino nuevo, la restauración de Israel, la transformación de la tierra y el establecimiento del reino de Dios – en una sola semana fueron derribadas por un enorme odio asesino que fue vertido sobre Jesús. Aquél en quien estaban convencidos cambiaría todo para bien y para siempre, fue trágicamente asesinado, acusado falsamente y traicionado por uno de los suyos. ¿Acaso podríamos imaginarnos qué podía ocurrir en sus corazones? ¿Podría saborear las hierbas amargas que ellos habían masticado, hora tras hora, llenos de emociones mixtas –miedo, arrepentimiento, tristeza, desesperación, culpa, etc. "¿Qué es lo que está pasando? ¿Qué planea Dios? Pensábamos que él era el Mesías – Teníamos tales esperanzas, tales deseos. Ahora todo se ha ido. Todo se ha roto, aplastado, arruinado".

Como en aquel entonces, las hermanas dentro de nuestras iglesias poseen una empatía y amor especiales. Las Marías vienen temprano el día después del Día de Reposo para ungir el cuerpo del Señor. Sus corazones estaban tan cargados que debieron parecer piedras, estas queridas hermanas vinieron a la tumba donde yacía el Señor con el intento de preparar su cuerpo con el amor y el cuidado que sólo conocían quienes lo amaban desde el primer día que lo conocieron. Conversando por el camino, se comentan entre sí el problema de la piedra. Era una piedra muy grande, y ellas no tenían la fuerza para moverla. Quizás compartieron una con otra diferentes soluciones posibles sobre cómo retirar la piedra. Estaban preocupadas acerca de su peso y tamaño. "No podremos ungir al Señor a menos que obtengamos ayuda para mover la piedra . . . "

Que raro debió parecerles llegar a la entrada de la tumba y ver que la enorme piedra ya había sido quitada. ¿Qué habrán sentido sus corazones en ese momento? ¿Horror? ¿Entusiasmo? ¿Miedo? Las Escrituras declaran que entraron inmediatamente en la tumba, y para su asombro vieron a un joven sentado al lado derecho de la misma, vestido con un manto blanco. Ellas estaban espantadas, pero el joven les dijo palabras que aún resuenan a través del tiempo, tan claras como una campana. Él les dijo, "No os asustéis; buscáis a Jesús Nazareno, el que fue crucificado; ha resucitado, no esta aquí; mirad el lugar en donde le pusieron". Después de esto les dijo que fueran y dijeran a sus discípulos y a Pedro que Jesús los encontraría en Galilea como les había dicho.

El registro bíblico dice que salieron corriendo de la tumba, estando completamente abrumadas por el temblor y el asombro, y no dijeron nada a nadie porque tenían miedo.

Las palabras del joven eran muy concisas, aun así en su breve declaración resumió la más poderosa e importante verdad de toda la doctrina cristiana. Buscar a Jesús de Nazaret el crucificado, en la tumba, siempre será buscar inútilmente. Ya no está en la tumba, él no está allí. El Señor de todo está vivo, él ha resucitado. El lugar donde lo pusieron prueba que es así. Deje que el poder, la maravilla y el impacto de la declaración se sumerjan en su espíritu, enciendan su alma, e iluminen su mente. La antigua promesa de Dios acerca de un Salvador y Señor que reinaría en el trono de David se cumplió en lo siguiente: el Mesías, Jesús de Nazaret, el mismo que fue crucificado por nuestros pecados está vivo. Él ha resucitado de los muertos y está vivo para siempre jamás. Y pronto, muy pronto, él regresará para terminar lo que empezó en la cruz - estableciendo un Reino de paz y justicia para siempre. *Ésta* es nuestra esperanza. *Ésta* es nuestra fe.

El Credo Niceno y oración

Después de recitar y/o cantar El Credo Niceno, haga la siguiente oración:

Oh Dios, cuyo Hijo bendito vino a este mundo para poder destruir las obras del diablo y hacernos hijos de Dios y herederos de la vida eterna: Concédenos que, teniendo esta esperanza, podamos purificarnos a nosotros mismos como él el puro; para que, cuando venga otra vez con poder y gran gloria, podamos ser hechos como él en su eterno y glorioso reino; donde vive y reina contigo y con el Espíritu Santo, un Dios, para siempre jamás. Amén.

~ Iglesia Episcopal. **El Libro de Oración Común y La Administración de los Sacramentos y Otros Ritos y Ceremonias de la Iglesia, Junto con el Salterio o Salmos de David.**
Nueva York: Corporación de Himnos de la Iglesia 1979. p. 236

Prueba

Guarde sus notas, agrupe sus pensamientos y reflexiones y tome la prueba de la lección 3, *El Mesías Revelado.*

Revisión de los versículos memorizados

Repase con un compañero, escriba y/o recite de memoria el texto asignado para la última sesión de la clase: Lucas 24.44-49.

Entrega de tareas

Entregue su resumen de la lectura del texto asignado para la semana pasada, es decir, su respuesta breve y explicación de los puntos principales que el autor buscaba dejar en claro en el mismo (Reporte de lectura).

4

CONTACTO

La necesidad de viajar ligeramente

Muchos hoy en día, especialmente los que están involucrados en el crecimiento de la iglesia, creen que la manera más fácil y creíble para ver el crecimiento numérico en la misma es viajar ligero, por lo menos teológicamente hablando. Muchas iglesias ya no enseñan la doctrina en forma apropiada, por lo menos no directamente. Convencidos que tales asuntos son muy abstractos y que no les interesan a los buscadores modernos, estas iglesias concentran su atención en asuntos que creen serán mejor recibidos por la gente contemporánea. Así que, no es ni inusual ni raro ver los púlpitos de estas iglesias llenos de mensajes acerca de asuntos bancarios, romance, temas contemporáneos, o ideas psicológicas que tienen que ver con la felicidad y el auto desarrollo. Mensajes acerca de la resurrección, ascensión y la Segunda Venida de Cristo, son vistos como antiguos y también inefectivos, simplemente no le resulta relevante a la multitud experta en internet de este moderno siglo XXI. ¿Qué piensa usted acerca de estas tendencias en la predicación y la enseñanza? ¿Son una señal de salud o enfermedad dentro de la Iglesia hoy en día?

La resurrección no es una posibilidad científica

Imagine que le pidan unirse a un panel importante de figuras de la comunidad científica para discutir el tema de la resurrección de los muertos. ¿Cómo respondería si uno de los panelistas negara la posibilidad de la resurrección en base a que no se puede probar científicamente? No están sugiriendo que nunca puede suceder, o que no haya pasado anteriormente. Lo que haces más bien es sugerir que ya que no podemos verificarlo, ni mostrar que es posible por medio de la experimentación y el método científico, simplemente no podemos decir que tal cosa sea posible. ¿Cómo respondería a este punto de vista sobre la resurrección? ¿Debería siquiera tratar de hacerlo?

Los materiales son confusos, dispersos e inexactos

Al emprender un largo vuelo de regreso a casa después de unas vacaciones maravillosas, se encuentra con un pasajero que está interesado en discutir sobre religión y sobre la fe cristiana. Él sugiere que la doctrina más importante del cristianismo es la más difícil. "En mi propio estudio de los Evangelios y los diferentes informes de la resurrección, parece ser que no puedo armonizar con lo que los diferentes libros dicen. Por más que he tratado, me parece que los diferentes relatos de los Evangelios que hablan de la resurrección son confusos, dispersos e inexactos". ¿Cuál sería su argumento para esta persona con respecto a los Evangelios y sus relatos tocante a la resurrección de Jesús?

4

El Mesías Justificado

Segmento 1: La resurrección y las apariciones de Jesús

Rev. Dr. Don L. Davis

Resumen introductorio al segmento 1

Para nuestra fe, práctica, entendimiento y convicción respecto al mensaje del Nuevo Testamento, no hay doctrina ni enseñanza tan significativa como la resurrección de Jesús el Mesías. Para los creyentes, toda la credibilidad de nuestra teología, fe, y ministerio está basada en la certeza histórica que Jesús fue levantado de los muertos. Los informes del evangelio proveen diferentes citas claves de algunas de las diferentes apariciones de Jesús, empezando con su resurrección de la tumba hasta su aparición a los apóstoles en el Mar de Galilea. De toda la evidencia dada para testificar a favor de la credencial mesiánica de Jesús de Nazaret, nada se compara con la resurrección. Por sí misma provee el testimonio más claro que justifica la identidad mesiánica de Cristo Jesús.

Nuestro objetivo para este segmento, *La resurrección y las apariciones de Jesús*, es ayudarle a ver que:

- La doctrina de la resurrección (la resurrección de Cristo) es la doctrina más significativa del credo cristiano.

- Toda la credibilidad de nuestra teología, fe y ministerio está basada en la certeza histórica que Jesús fue levantado de los muertos.

- El Nuevo Testamento provee un testimonio claro y convincente acerca de las apariciones de Jesús después de su resurrección, empezando con el hecho de su resurrección de la tumba hasta su aparición ante los apóstoles en el Mar de Galilea.

- Ningún otro hecho o testimonio provee un testimonio más claro que justifique la identidad mesiánica de Cristo Jesús que este sólo hecho inequívoco: Cristo Jesús fue levantado de los muertos.

4

I. La centralidad de la resurrección para la fe cristiana, 1 Cor. 15.12-20

Video y bosquejo segmento 1

    A. Lo que el Cristianismo no es

        1. No somos un *sistema ético.*

        2. No somos una *comunidad con prácticas religiosas.*

        3. No somos un *esfuerzo por huir de los males del mundo.*

    B. Lo que el Cristianismo es: *una fe que es vívida y está anclada en la persona y la obra de Jesús el Mesías, el cual sabemos que vivió, murió y resucitó de los muertos*

        1. *Christus Victum:* Jesús el Mesías murió y resucitó para pagar la pena por nuestros pecados, Rom 5.8-10.

        2. *Christus Victor:* Jesús el Mesías murió y resucitó para vencer los poderes del enemigo y transferirnos del reino de Satanás al Reino de Dios.

            a. Heb. 2.14

            b. 1 Juan 3.8

            c. Col. 1.13

            d. Col. 2.15

4

3. ¡Ninguna fe cristiana existiría sin la resurrección!

C. El argumento para la centralidad de la resurrección y la resurrección de Cristo, 1 Cor. 15.12-20

1. Si no existe resurrección alguna, entonces *Cristo Jesús mismo no fue levantado,* v.13.

2. Y si Cristo mismo no hubiera sido resucitado:

   a. La predicación de los apóstoles es en vano (inútil) y nuestra fe en esa predicación es en vano (inútil), v.14.

   b. Los apóstoles mal representaron a Dios (e.d., *mintieron acerca de Dios*) ya que testificaron que Dios levantó a Jesús de entre los muertos, v.15.

3. Otra vez, si los muertos no son levantados, *ni aún Jesús mismo fue levantado*, v. 16.

4. Y si Cristo no hubiera resucitado:

   a. Nuestra fe en Jesús es inútil (completamente sin sentido), v.17.

   b. Aún estamos en nuestros pecados, v. 17.

   c. Los que durmieron en Jesús el Mesías han perecido, v. 18.

4

d. ¡Si en esta vida únicamente tenemos esperanza en Cristo, *somos los más dignos de conmiseración de todos los hombres.* v. 19.

5. La cuestión **de este asunto**: *Cristo Jesús fue levantado de los muertos, primicias de los que durmieron,* v. 20.

II. La resurrección y las apariciones

A. La resurrección de Jesús el Mesías y su primera aparición en la tumba, Mt. 28.5-8; Mc. 16.2-8; Lc. 24.1-8; Juan 20.1

1. ¿Domingo, temprano por la mañana, Primavera D.C. 30?

2. El terremoto violento y los guardias atónitos

3. María Magdalena y la otra María

4. Testimonio angelical: "Él no está aquí; ha resucitado. Vengan a ver el lugar donde él estuvo".

5. Segunda aparición: Mt. 28.9-10

a. Jesús se encuentra con las mujeres, Mt. 28.9.

b. Vayan y digan a mis hermanos que vayan a Galilea; allí me verán, Mt. 28.10.

6. Los soldados son invitados a mentir acerca de la manifestación angelical y los eventos ante la tumba, Mt. 28.11-15

B. Aparición en el camino a Emaús, Mc. 16.12; Luc. 24.13-33

   1. Domingo por la tarde, Primavera 30 D.C.

   2. Tercera aparición, Cleofas y un hombre cuyo nombre no se menciona

   3. Caminando y discutiendo: Jesús se une a ellos

   4. Reprensión por no creer y por ignorar las Escrituras

   5. *Jesús se revela a sí mismo como el Mesías de las Escrituras, las cuales predecían que moriría y resucitaría*, Lc. 24.27.

C. Aparición a Pedro y a los apóstoles, Mc. 16.13-14; Lc. 24.33-43; Juan 20.19-35

   1. Domingo por la noche, Primavera 30 D.C.

   2. Dos discípulos de Emaús regresan a Jerusalén y reportan a los apóstoles su encuentro con el Mesías.

      a. Hablaron de su propio encuentro.

4

b.   Hablaron de la aparición del Señor a Pedro.

3.   Cuarta aparición: a Simón (comp. Lc. 24.34 con 1 Cor. 15.5)

4.   Mientras hablaban los discípulos de Emaús, Jesús se aparece al grupo entero (estando Tomás ausente, comp. Juan 20.24-25).

5.   El mandamiento de Jesús "Reciban el Espíritu Santo" (¿presagio del derramamiento del Espíritu Santo en el Día de Pentecostés?), comp. Juan 20.21-23

D. Aparición a los discípulos estando Tomás presente, Juan 20.26-31

1.   Domingo, una semana después de la resurrección, Primavera, 30 D.C.

2.   Desde ese momento en adelante se hace difícil rastrear las manifestaciones de Su persona resucitada.

    a.   Un espacio de 40 días entre el versículo 43 y el 44 de Lucas 24 (es decir, el 43 se lleva a cabo en el día de la resurrección, el 44 se lleva a cabo en el día de la ascensión).

    b.   Los últimos cuarenta días de Jesús demandan una búsqueda minuciosa en los relatos provistos por los Evangelios.

3.   La *actitud científica (?)* de Tomás: Juan 20.24-25

4.   La prueba que Jesús da a Tomás y su respuesta: Juan 20.26-29

E. Aparición a orillas del Mar de Galilea, Juan 21.1-25

    1. No hay fecha asociada con la aparición (Primavera, 30 D.C.).

    2. Jesús se aparece a siete discípulos en la playa de Galilea.

    3. Simón Pedro regresa al territorio conocido, Juan 21.3-4.

    4. La pregunta de Jesús acerca de los peces y una pesca notable cuando siguen sus instrucciones, Juan 21.5-7

    5. Referencia histórica fundamental en el versículo 14, Juan 21.14

    6. La triple pregunta de Jesús a Pedro: "Me amas?" "Pastorea mis ovejas". Juan 21.15-17

    7. La profecía de Jesús en cuanto a Pedro. Luego le reprende por entrometerse al respecto del futuro de Juan, Juan 21.18-23.

F. La certeza del testimonio apostólico en cuanto a la resurrección de Jesús el Mesías, Juan 21.24-25

    1. La fe cristiana está anclada en *la resurrección de Jesús el Mesías*.

    2. El testimonio en cuanto a la resurrección de Jesús está arraigado en *el testimonio de los apóstoles, quienes nos hablan de la justificación de Jesús el Mesías a través de su vida resucitada.*

4

Conclusión

» La resurrección de Jesús el Mesías es la doctrina más significativa de la fe cristiana, y toda nuestra fe y esperanza descansan en la certeza histórica que Jesús fue levantado de los muertos.

» El nuevo Testamento provee testimonio claro sobre los informes de la resurrección de Jesús, lo cual confirma su vida resucitada e identidad como el Mesías.

"¡Cristo Resucitó. Efectivamente, Él resucitó!"

Por favor tome todo el tiempo que disponga para contestar éstas y otras preguntas que el video haga surgir. Ninguna otra enseñanza en el Nuevo Testamento es más crucial para la identidad del Mesías que la resurrección de Jesús de entre los muertos. Entender el testimonio bíblico sobre la resurrección de Jesús es central para el liderazgo cristiano y el ministerio. ¡Debe ser claro y conciso en sus respuestas, y siempre que sea posible, susténtelas con las Escrituras!

Seguimiento 1

Preguntas y reflexión acerca del contenido del video

1. ¿Cuál es la diferencia entre las doctrinas Cristianas *Christus Victum* y *Christus Victor?*

2. Brevemente describa la declaración: "El cristianismo es una fe vívida en la persona y obra de Jesús el Mesías, el cual creemos que vivió, murió, y fue levantado de los muertos".

3. Detalle el argumento de Pablo en 1 Cor. 15.2-20 respecto a la centralidad de la resurrección de Cristo para la fe Cristiana. ¿Por qué dice Pablo que la creencia en la resurrección es absolutamente fundamental para una fe válida?

4. ¿Cuáles son algunos de los hechos fundamentales en torno a las diferentes apariciones de Jesús después de su resurrección, y la primera aparición ante la tumba?

5. ¿Cómo debemos entender que Jesús ordenara "reciban el Espíritu Santo" a los apóstoles cuando se les apareció (después de su aparición a los discípulos de Emaús)?

6. ¿Qué piensa de la duda de Tomás en cuanto a la resurrección y su falta de voluntad para creer sin una verificación de primera mano? ¿En qué sentido representa Tomás la visión moderna en cuanto a la fe, las pruebas y la historia?

7. ¿Cómo es que la triple pregunta de Jesús a Pedro (es decir, "¿Me amas?") nos ayuda hoy día a entender la naturaleza del liderazgo cristiano en el mundo?

El Mesías Justificado

Segmento 2: La Gran Comisión, la promesa del Espíritu, y la ascensión al Padre

Rev. Dr. Don L. Davis

Resumen introductorio al segmento 2

La Gran Comisión es una promesa de la autoridad de Jesús como Señor y Mesías resucitado, relacionada tanto con el cumplimiento de la profecía como con la misión global. En el período de cuarenta días después de su resurrección, Jesús demuestra en forma concluyente su vida resucitada a los apóstoles, repite la comisión para la evangelización mundial y promete mandarles el Espíritu Santo para realizarla. La ascensión de Cristo es la última señal histórica que prueba que Jesús de Nazaret es el Mesías de Dios.

Nuestro objetivo para este segmento, *La Gran Comisión, la promesa del Espíritu, y la ascensión al Padre,* es para que pueda ver que:

- La Gran Comisión es una expresión de autoridad del Señor Jesús resucitado, una prueba continua de su identidad como Mesías, relacionada con el cumplimiento de la profecía y también con la misión global.

- Jesús validó su resurrección en forma objetiva y concluyente a los apóstoles dentro del período de cuarenta días después de la misma.

- Durante este período, Jesús repite su comisión a los apóstoles para que evangelicen al mundo, y promete mandarles el Espíritu Santo para realizar su comisión de ir y hacer discípulos por todo el mundo.

- La ascensión de Cristo es la última señal histórica que prueba que Jesús de Nazaret es el Mesías de Dios.

4

I. El Mesías resucitado da a los apóstoles la Gran Comisión.

Video y bosquejo
segmento 2

A. Trasfondo de la Gran Comisión

　　1. Lugar en que fue dada: Galilea

　　　　a. Jesús había prometido encontrarse con los discípulos en Galilea, así que éstos regresaron allí para esperarlo, Mt. 26.31-32.

　　　　b. Aquí también es donde las mujeres (informadas por el ángel y por Jesús mismo) les habían dicho que fueran.

　　　　　　(1) Mt. 28.6-7

　　　　　　(2) Mt. 28.10

　　　　　　(3) Mt. 28.16

　　2. Esta fue la cuarta aparición que Jesús hizo a los apóstoles.

　　3. El texto de la Gran Comisión, Mt. 28.18-20

B. Cinco aspectos de la Comisión

　　1. El *Señorío* de Cristo Jesús, Mt. 28.18

　　　　a. Mt. 16.28

　　　　b. Hch. 2.36

    c.   Hch. 10.36

    d.   Rom. 14.9

    e.   1 Cor. 15.27

    f.   Ef. 1.20-22

    g.   Fil. 2.9-11

2.   El *Mandato* para hacer discípulos del Mesías entre las naciones, Mt. 28.19a

    a.   Sal. 22.27-28

    b.   Sal. 98.2-3

    c.   Is. 42.1-4

    d.   Is. 49.6

    e.   Is. 52.10

    f.   Mc. 16.15

4

3. El *Bautismo* en nombre del Dios trino; Padre, Hijo y Espíritu Santo, Mt. 28.19b

    a. Heb. 2.38-39

    b. Heb. 10.47-48

    c. 1 Pe. 3.21

4. *Enseñando* a los discípulos a practicar todo lo que el Mesías mandó, Mt. 28.20a.

    a. Mt. 7.24-27

    b. Hch. 2.42

    c. Hch. 20.20-21

    d. Hch. 20.27

    e. Efe. 4.11-13

    f. Col. 1.28

    g. 1 Juan 3.22-24

4

5. La *Promesa* de su presencia hasta el fin de la era, Mt. 28.20b

    a. Jos. 1.5

    b. Is. 41.10

    c. Mt. 1.23

    d. Mt. 18.20

    e. Juan 14.18-20

    f. Hch. 18.9-10

    g. 2 Tim. 4.17

4

C. Implicaciones de la Gran Comisión

    1. La base de todo ministerio en nombre del Mesías es el incontestable señorío de Cristo Jesús.

    2. La misión de compartir esta esperanza es ahora una misión global.

    3. La fe personal en el Mesías es para vivirla en comunidad y en el cuerpo que compone su Iglesia.

4. El corazón del discipulado es la instrucción y obediencia a los mandamientos del Mesías, de los cuales el amor es el más grande, Juan 13.34-35.

5. La presencia personal de Cristo acompañará esta obra de proclamación hasta el mismo fin de las edades, cuando seremos unidos, los muertos y vivos en Cristo, para siempre, comp. 1 Tes. 4.13-18.

II. La comisión repetida: Cuarenta días de demostración e instrucción, Hechos 1.3-8, Lucas 24.44-49

A. El prólogo de Lucas en Hechos, Hch. 1.1-3

1. El evangelio de Lucas es para Lucas el "Volumen 1" de la historia de Jesús, el Mesías.

2. Después de su resurrección, Jesús les dio a los apóstoles instrucciones y mandamientos por medio del Espíritu Santo.

3. Los apóstoles disfrutan un período de cuarenta días de comunión con Jesús después de la resurrección.

    a. "Él [Jesús] se mostró vivo después de su sufrimiento". Demostró así su persona resucitada.

    b. "Por muchas pruebas" Jesús proporcionó a los apóstoles evidencia irrefutable que él había sido levantado de los muertos.

    c. "Apareciéndoles durante cuarenta días y hablándoles acerca del Reino de Dios" (período de tiempo lleno de manifestaciones y enseñanzas acerca del Reino de Dios, comp. Hch. 1.4-7).

    4. *Jesús como Mesías continúa poniendo en claro que el mensaje profético en cuanto a la promesa global de la salvación ahora deberá ser llevada por los apóstoles:* la promesa para Jerusalén y las naciones, Is. 52.9-10.

B. La repetición de la Comisión: variación del mandato del Mesías para la misión

    1. Hacer discípulos entre los diferentes grupos de personas, Mt. 28.19-20.

    2. Predicar el evangelio a toda la creación, Mc. 16.15.

    3. Arrepentimiento y perdón predicado en nombre del Mesías a todas las naciones, empezando en Jerusalén, Lc. 24.47.

    4. Enviados al mundo como el Padre envió al Mesías, Juan 20.21.

    5. Ungidos por el Espíritu Santo para ser testigos del Mesías desde Jerusalén hasta lo último de la tierra, Hch. 1.8.

III. "Pero recibirán Poder": La promesa del Espíritu Santo antes de la ascensión

A. Derramamientos del Espíritu Santo asociados con el fin del tiempo: la era que vendrá.

4

1. La bendición sobre la descendencia del pueblo de Dios

    a. Is. 44.3

    b. Is. 59.21

2. Como una señal del favor y la aceptación de Dios, Ez. 39.29

3. El derramamiento del Espíritu es asociado con *"el grande y espantoso día del Señor"* (comp. v. 31 de Joel 2.28-32).

4. Asociado con la reagrupación del Israel arrepentido y su Mesías, Zac. 12.10

B. Promesas dadas durante la vida de Jesús acerca de su bautismo con el Espíritu Santo

4

1. La promesa de Juan el Bautista en cuanto al Mesías

    a. Mt. 3.11

    b. Mc. 1.8

    c. Lc. 3.16

    d. Juan 1.33

2. Jesús hizo mención de los que pedirían al Padre que mandara el Espíritu.

    a.   Mt. 7.11

    b.   Lc. 11.13

3. Jesús prometió enviar el Espíritu a sus seguidores.

    a.   Lc. 24.49

    b.   Juan 16.7

    c.   Juan 20.22

4. Jesús le pediría al Padre que enviara el Espíritu a sus seguidores, Juan 14.16.

5. Jesús habló del derramamiento del Espíritu en términos generales.

    a.   Juan 7.37-39

    b.   Hch. 1.5

    c.   Hch. 1.8

4

C. La importancia del Espíritu en la justificación del Mesías

    1. El Maestro e Intérprete de las Sagradas Escrituras

        a. 1 Juan 2.20

        b. 1 Juan 2.27

    2. El Espíritu da testimonio del Mesías, Juan 15.26-27.

    3. Seguridad de la presencia del Mesías en medio de su pueblo, 1 Juan 4.13

    4. Revelador de los tesoros del Mesías a su pueblo, Juan 16.13-15

    5. Maestro de la verdad, trayendo las palabras del Mesías a la memoria de los apóstoles, Juan 14.26

4

IV. La ascensión de Cristo Jesús; Marcos 16.19-20; Lucas 24.50-53, Hechos 1.9-12

A. Su exactitud en cuanto a la historia

    1. Al final de su último encargo de que fueran sus testigos (comp. Hch. 1.8), cerca de la vecindad de Betania

    2. Jesús pronuncia su bendición sobre ellos (comp. Lc. 24.50-51a).

3. El "ascenso" de Jesús: fue levantado, llevado arriba al cielo, se sentó a la diestra de Dios.

4. La confirmación de los ángeles, Hch. 1.10 (la ascensión es una señal de su regreso)

B. Su significancia teológica

1. La ascensión es la confirmación de su señorío: Él ha sido exaltado a una posición de autoridad y honor, como Cabeza de la Iglesia.

   a. Heb. 1.2-4

   b. 1 Pe. 1.21

   c. Ef. 1.20-23

2. La ascensión como señal de su ministerio como sumo sacerdote

   a. Heb. 4.14

   b. Heb. 8.1

   c. Heb. 10.12

   d. Heb. 12.2

3. La ascensión como la instalación del reinado del Mesías: él deberá reinar hasta que todos sus enemigos estén bajo sus pies.

    a. Sal. 110.1-2

    b. 1 Cor. 15.25-27

    c. 1 Pe. 3.22

Conclusión

»   El dar la Gran Comisión prueba la identidad de Jesús como Mesías, cumpliendo la profecía del Antiguo Testamento en cuanto a la oferta de salvación de Dios para las naciones.

»   Jesús demostró su resurrección a los apóstoles por medio de muchas pruebas, y ascendió al cielo, de donde envió al Espíritu Santo sobre la Iglesia.

»   Nuestro Señor Jesús debe reinar y reinará hasta que el Padre determine el tiempo y la estación para que él regrese y lleve a cabo la consumación del Reino de Dios en la tierra.

»   Como cabeza de la Iglesia y como Señor de todo, la muerte, resurrección, y ascensión de Jesús dan evidencia amplia que él, Jesús de Nazaret, es el Mesías de Dios.

Que Dios nos dé la fuerza y la sabiduría para ser sus discípulos,

y le proclamemos resucitado por toda la tierra,

como nuestro Señor, nuestro Salvador, y nuestro Mesías,

el ungido de Dios.

Amén.

Seguimiento 2

Preguntas y reflexión acerca del contenido del video

Las siguientes preguntas fueron diseñadas para ayudarle a repasar el material en el segundo segmento del video. La Gran Comisión de nuestro Señor cumple la profecía del Antiguo Testamento en cuanto a la oferta de salvación de Dios para el mundo, y sirve como una evidencia poderosa y como base para la autoridad de Jesús como Señor y Mesías resucitado. Sus pruebas, el envío del Espíritu y la ascensión al trono de Dios, sirven como señales adicionales que prueban que Jesús de Nazaret es el Mesías de Dios. ¡Debe ser claro y conciso en sus respuestas, y siempre que sea posible, susténtelas con las Escrituras!

1. ¿Cuáles son algunos de los varios aspectos de la Gran Comisión abarcados hoy en nuestra lección? ¿Cómo es que la autoridad de Cristo sustenta y sirve como base para la Gran Comisión misma?

2. ¿Cómo se relaciona el Antiguo Testamento al mandato de Jesús para ir y hacer discípulos en todas las naciones? ¿De qué manera la comisión de Jesús cumple la profecía del Antiguo Testamento en cuanto a la oferta de salvación del Reino de Dios a las naciones?

3. Explique la oración: "El corazón del discipulado es la instrucción y la obediencia a los mandamientos del Mesías, de los cuales el más grande es el amor".

4. ¿Cuál es la relación entre la comisión de Jesús de hacer discípulos en Mateo 28.18-20, y la repetición del mandamiento de ir a lo último de la tierra en Hechos 1.8?

5. ¿Cuál es el significado del período de cuarenta días de Jesús con sus discípulos después de su resurrección? ¿Cómo es que Jesús, durante este período pone en claro que su oferta del Reino es *global,* una promesa no sólo para Jerusalén y Judea, sino para el mundo entero?

6. ¿Cómo es la promesa del derramamiento del Espíritu Santo un lazo directo al final de los tiempos, a la promesa de la Edad Venidera? ¿Cómo vio de antemano Juan el Bautista el bautismo de Jesús mismo con el Espíritu Santo?

7. ¿Qué papel juega el envío del Espíritu Santo para probar que Jesús de Nazaret es el Mesías de Dios?

8. ¿Cuáles son los hechos en torno a la ascensión de Jesús al trono? ¿Cuál es la importancia de la ascensión en cuanto al significado e importancia para las misiones, la Iglesia y su reinado hoy día como Señor?

9. ¿Cuál es la conexión entre la ascensión de Jesús y su venida en poder, al final de los tiempos?

4

Esta lección se enfoca en las implicaciones de la resurrección, en las apariciones de Jesús después de la resurrección, y en su comisión y ascensión al respecto de su identidad como Mesías.

~ La doctrina de la resurrección de Cristo es la doctrina más significativa de la creencia cristiana.

~ Toda la credibilidad de nuestra teología, fe, y ministerio está basada en la certeza histórica que Jesús fue levantado de los muertos.

~ El Nuevo Testamento da un testimonio claro y convincente acerca de las apariciones de Jesús después de su resurrección, empezando con el hecho de su resurrección de la tumba hasta su aparición a los apóstoles junto al Mar de Galilea.

~ Ningún otro hecho o testimonio da testimonio con tanta claridad para demostrar la identidad mesiánica de Cristo Jesús que éste sólo hecho inequívoco: Cristo Jesús fue levantado de los muertos.

~ La Gran Comisión es una expresión de la autoridad del Señor Jesús, una promesa de la continua prueba de su identidad como Mesías, relacionada tanto con el cumplimiento de la profecía como con la misión global.

~ Jesús dio validez a su resurrección objetivamente y en forma concluyente a los apóstoles en el período de cuarenta días después de su resurrección, dando evidencia fehaciente que estaba vivo después de su sufrimiento, y también les enseñó sobre el Reino de Dios.

~ Durante este período, Jesús repite su comisión a los apóstoles para que evangelicen al mundo y promete enviarles el Espíritu Santo para cumplir su comisión de ir y hacer discípulos por todo el planeta.

~ La ascensión de Cristo es la última e histórica señal que prueba que Jesús de Nazaret es el Mesías de Dios.

Ahora es el momento para que discuta con sus compañeros de estudio sus preguntas acerca de las implicaciones de la resurrección como prueba de la identidad de Cristo como Mesías. Ninguna otra doctrina o enseñanza lleva tal peso en el cuadro teológico cristiano como la resurrección de Jesús - es el cuerpo y alma de la teología cristiana, y el corazón de nuestra convicción sobre quién era Jesús realmente y quién es hoy día. La habilidad que usted demuestre para relacionar esta enseñanza a su propia vida y enseñanza es fundamental para su bienestar espiritual progresivo, y para el liderazgo cristiano de

4

servicio. ¿Qué preguntas particulares tiene en vista del material que acaba de estudiar? Quizás algunas de las siguientes preguntas abajo podrían ayudarle a formular las suyas propias, más específicas y cruciales.

* ¿Está convencido que Jesús de Nazaret está vivo, que realmente se levantó de la tumba después de sus sufrimientos en la cruz? ¿Cómo lo sabe con seguridad?

* ¿Cómo debemos responder a los que dicen que la doctrina de la resurrección es insostenible (no creíble) porque simplemente no está de acuerdo con las leyes de la física o los hechos de la ciencia?

* ¿Puede usted ser cristiano y no creer en la resurrección de Jesús? Explique.

* ¿Cómo prueban la resurrección y la ascensión de Jesus, más allá de toda duda, que él ha sido magnificado a una posición de autoridad y poder por el Padre?

* ¿Por qué es fundamental que creamos *lo que testifican los apóstoles* acerca de la resurrección de Jesús, más que cualquier otro recurso, lógica, o argumento? ¿En qué sentido está basada toda la doctrina sobre *lo que los apóstoles declaran que vieron, oyeron y experimentaron?*

* ¿Cómo es que la resurrección pone una base y provee una imagen para que entendamos la liberación de Dios del *poder del pecado* y también de la *pena del pecado*?

* ¿Por qué la Gran Comisión está fundada en la *autoridad de Cristo como Señor*? ¿Qué significa esto para nosotros al compartir las buenas nuevas de salvación con otros?

* Según el Nuevo Testamento, ¿por qué podemos estar *absolutamente seguros* que nuestra labor en el Señor no es inútil o sin sentido?

Casos de estudio

Su cuerpo es preservado, como una declaración.

Por muchos años, los Testigos de Jehová enseñaron a sus miembros que el cuerpo de Jesús no resucitó de los muertos. El fundamento para su afirmación estaba basado en 1 Pedro 3.18: "Porque también Cristo padeció una sola vez por los pecados, el justo por los injustos, para llevarnos a Dios siendo a la verdad muerto *en la carne*, pero *vivificado en espíritu*". En base a este texto, decían que el cuerpo de Jesús, su cuerpo crucificado, había muerto en la carne, pero que se había levantado nuevamente en el espíritu, no como un ser humano, sino como un espíritu (comp. 1 Cor. 15.45 - Así también está escrito: "Fue hecho el primer hombre Adán alma viviente; el postrer Adán, espíritu vivificante"). ¿Dónde está el cuerpo de Jesús hoy en día? ¿Está preservado en alguna parte, como declaración del favor y amor inmerecidos de Dios. . . .? ¿Cómo contestaría esta declaración audaz en cuanto a la "resurrección" de Jesús?

Lo que hemos visto y oído

La doctrina "apostólica" (la idea que la iglesia esta construida sobre el testimonio, experiencia, y enseñanza de los apóstoles) está en el centro de todas las discusiones acerca de la autoridad de la fe cristiana. En un curso de entrenamiento sobre el liderazgo cristiano, el instructor sugiere a la clase que nuestra fe no está fundada sobre nuestra experiencia de primera mano en cuanto a los eventos de la muerte, resurrección, y ascensión de Jesús. Mas bien, nuestra fe está arraigada en lo que los apóstoles vieron, oyeron, y experimentaron. Dios les dio a ellos la experiencia ocular y por lo tanto su testimonio lleva toda la entereza de la fe cristiana. Todo lo que creemos lo hemos recibido de ellos. El instructor aun sugiere que si hubiéramos estado físicamente presentes al pie de la cruz, posiblemente no habríamos entendido nada de lo que estaba pasando. Sólo a través de la ayuda del testimonio ocular de los apóstoles y el comentario divino es que podemos empezar a darle sentido al significado de Jesús de Nazaret para nuestras vidas. Estos comentarios causan un gran debate entre los estudiantes en cuanto a *la base y autoridad de nuestra fe*. ¿Qué piensa usted del entendimiento del instructor sobre la doctrina *apostólica* aplicada a la resurrección de Jesús?

La apologética es la forma de proceder.

Emocionado por la compra reciente de los libros clásicos de apologética sobre la fe cristiana por Josh McDowell, *Evidencia que exige un veredicto*, un joven pastor está convencido que ha encontrado la manera de presentar el evangelio a los escépticos modernos. Está convencido que debemos enseñar la doctrina de la fe cuidadosamente y críticamente, mostrando a los incrédulos que hay amplia evidencia para mostrar lógicamente que Jesús resucitó de los muertos. El asume que si presentamos la evidencia lógicamente y persuasivamente, la gente lo aceptaría, siendo ésta una edad científica y de cultura (1 Pe. 3.15). Por otro lado, otros en la iglesia de este pastor joven no están tan convencidos del poder de la apologética para lograr marcar una diferencia en la mente de los incrédulos. Ellos declaran que *no es posible convencer a cualquiera* para que crea; aun la presentación más fuerte y bíblica del evangelio no ayudará a alguien que no tenga la iluminación del Espíritu Santo (1 Cor. 2.9-16). Sólo la convicción del Espíritu podría romper el cerrojo de los corazones endurecidos de aquellos que no creen. *¿Cuál es el papel que cumple la apologética y la argumentación para ayudar a los incrédulos a entender y creer en la verdad de Dios en cuanto a la resurrección de Jesús?* ¿La posición de quién está más cerca a la perspectiva apologética del Nuevo Testamento? ¿Son ambas posiciones correctas? Si es así, ¿cómo?

Reafirmación de la tesis de la lección

La doctrina de la resurrección y la resurrección propia de Cristo es la doctrina más significativa en la creencia cristiana. Nuestra fe está basada sólidamente en la validez histórica que Jesús resucitó de los muertos. El Nuevo Testamento da testimonio claro y convincente sobre las apariciones de Jesús después de su resurrección, empezando con el hecho de su resurrección ante la tumba hasta su aparición a los apóstoles junto al Mar de Galilea. La Gran Comisión es una expresión de la autoridad del Señor Jesús resucitado, una prueba continua de su identidad como Mesías, relacionada tanto con el cumplimiento de la profecía como con la misión global. Durante los cuarenta días después de su crucifixión, Jesús dio validez objetivamente de su resurrección a los apóstoles, les enseñó en cuanto al Reino de Dios, y comisionó a los apóstoles para evangelizar al mundo. Prometió mandarles el Espíritu Santo para autorizarlos para esta tarea. Ascendió a los cielos en presencia de sus apóstoles, lo cual sirve como esa última señal que prueba que Jesús de Nazaret es el Mesías de Dios.

4

Recursos y bibliografía

Si le interesa seguir algunas de las ideas de *El Mesías Justificado,* quizás podría hacer un intento con estos libros (algunos de estos t tulos pueden estar disponibles en español, o revise nuestro portal en la red cibernética para recursos adicionales en español):

Baxter, J. Sidlow. *The Master Theme of the Bible.* 2da. edición Grand Rapids: Ediciones Kregel, 1997.

Bonhoeffer, Dietrich. *Crist, The Center.* Trans. Edwin H. Robertson. San Francisco: Editores Harper and Row, 1978.

Hunter, Archibald M. *The Work and Words of Jesus.* Philadelphia: Imprenta Westminster, 1973.

Stott, John. *Life In Christ.* 2da. edición Grand Rapids: Libros Baker, 1996.

Ahora tendrá la oportunidad de aplicar los conocimientos de su estudio de estas lecciones en una experiencia práctica compartida en la que usted y su mentor estén de acuerdo. El hecho que usted piense en todas las cosas que prueban la identidad del Mesías a través de su vida resucitada está en el centro mismo de su identidad y servicio cristianos. Ninguna otra idea o doctrina de la vida cristiana lleva tal peso o significado como la verdad de la resurrección de Jesús. Su habilidad para compartir esta verdad en forma consistente, persuasiva, y en un número diferente de contextos, es fundamental para continuar ganando personas para Jesús, y hacer discípulos de ellos. Al pensar en su práctica, empiece por todas las maneras en que esta enseñanza puede influenciar su vida devocional, sus oraciones, su relación con su iglesia, su actitud en el trabajo, etc. La clave para ser un buen comunicador del evangelio es conocerlo tan bien, estar tan familiarizado con él, que uno esté listo para cualquier situación. Esta familiaridad con las verdades de la resurrección significarán que podrá aplicar esta enseñanza en todas las fases de su vida, trabajo, y ministerio.

La naturaleza de este proyecto ministerial es practicar estas habilidades de una manera tangible, en el lugar y situación donde usted viva, trabaja y ministra. En los próximos días tendrá la oportunidad de compartir estos conocimientos en la vida real, y en el medio ambiente real del ministerio. Ore para que Dios le dé conocimiento dentro de sus caminos al compartir sus conocimientos en sus proyectos.

Conexiones ministeriales

4

Busque al Señor al respecto de las implicaciones de estas grandes verdades sobre la resurrección. Al meditar sobre estos textos y verdades, examine su situación y pida al Señor que le revele algunas maneras particulares sobre cómo él quiere que responda a estos conocimientos. ¿Hay algunos temas, personas, situaciones, o oportunidades por las cuales hay necesidad de orar como resultado de sus estudios en esta lección? ¿Cuáles temas particulares o gente ha puesto Dios en su corazón que requieren súplica específica y oración en esta lección? Tome tiempo para considerar cuidadosamente lo que el Señor quiere que haga o diga, y reciba el apoyo necesario en consejo y oración para responder inmediatamente a lo que el Espíritu le ha mostrado.

Consejería y oración

Versículos para memorizar

No hay tarea que entregar.

Lectura del texto asignado

No hay tarea que entregar.

Otras asignaturas o tareas

Su proyecto ministerial y su proyecto exegético ahora deben ser puestos en forma de bosquejo, determinados, y aceptados por su instructor. Asegúrese de planificar por adelantado, para no entregar tarde sus tareas.

Anuncio del Examen Final

El Examen Final será para llevar a casa, incluirá preguntas de las primeras tres pruebas, preguntas nuevas sacadas del material de esta lección, y preguntas de redacción que le pedirán respuestas cortas a preguntas claves. También, debe planifica recitar o escribir los versículos memorizados para el curso en el examen. Cuando haya terminado su examen, por favor notifique a su mentor y asegúrese que reciba su copia.

Por favor tome nota: su calificación del módulo no puede determinarse si no toma el examen final y entrega todas sus tareas a su mentor (proyecto ministerial, proyecto exegético y Examen Final).

La última palabra sobre este módulo

Este módulo sobre *El Nuevo Testamento Testifica de Cristo y Su Reino* ha sido diseñado para darle a usted, el estudiante de las Escrituras, un análisis en forma de curso del testimonio histórico en los Evangelios sobre la persona y obra de Cristo Jesús. Ningún análisis que consista en unas pocas lecciones podría posiblemente sondear las profundidades de la verdad. Para profundizar usted podrá continuar con los estudios adicionales de este material. Sin embargo, lo que debería quedar claro en este análisis de la Palabra de Dios sobre la materia de Cristo es que la identidad de Jesús como el Mesías de Dios es el tema fundamental de todo el Nuevo Testamento, y el asunto mismo de los relatos del evangelio. Desde el nacimiento de nuestro Señor en el tiempo de la ocupación romana de Israel, a través del anuncio de su mesianismo en Nazaret, hasta su entrada triunfal en Jerusalén durante su última semana antes de su muerte, nuestro Señor demostró que él es el Mesías, el único ungido de Dios de quién hablaron Moisés y los profetas. Jesús de Nazaret, por medio de su vida, muerte, resurrección y ascensión prueba inequívocamente que él es el Mesías, el Señor y el Salvador del mundo.

Nada es tan crucial para su discipulado y liderazgo como el dominio de la enseñanza y verdad en cuanto a Jesús, y la obediencia a los mandamientos incluidos en los Evangelios.

4

Como nuestro Señor y Rey, ningún sacrificio que esté por debajo de nuestra completa lealtad y obediencia a su voluntad podría considerarse aceptable ante él. Nuestra oración es que este estudio le motive a "Procurar con diligencia presentarse a Dios aprobado, como obrero que no tiene de qué avergonzarse, que usa bien la palabra de verdad" (2 Tim. 2.15). Sólo al dominar la palabra del Nuevo Testamento, en el testimonio que da de Jesús el Mesías, podrá convertirse en un discípulo, y a través de eso, también podrá ser usado por él para hacer otros discípulos. ¡Alabado sea Dios! Jesús de Nazaret es el Mesías de Dios, y la palabra de su venida y su Segunda Venida se está propagando por todo el mundo, aun en las ciudades de Estados Unidos.

Que Dios nos dé la gracia para responder a su llamado,
para decirle al mundo entero que Cristo Jesús es el Señor de todo,
y para proclamar que está vivo y que viene otra vez para todos los pueblos de la tierra.

Toda la gloria sea para el Padre, y para su Hijo, Jesús de Nazaret,
nuestro Señor, nuestro Salvador, quién es nuestro Mesías,
el ungido de Dios.

Amén.

4

Apéndices

A P É N D I C E 1

El Credo Niceno

Creemos en un solo Dios, *(Dt. 6.4-5; Mc. 12.29; 1 Co. 8.6)*
    Padre Todopoderoso, *(Gn. 17.1; Dn. 4.35; Mt. 6.9; Ef. 4.6; Ap. 1.8)*
    Creador del cielo, la tierra *(Gn. 1.1; Is. 40.28; Ap. 10.6)*
    y de todas las cosas visibles e invisibles. *(Sal. 148; Rom 11.36; Ap. 4.11)*

Creemos en un solo Señor Jesucristo, el Hijo unigénito de Dios,
    concebido del Padre antes de todos los siglos:
    Dios de Dios, Luz de la Luz, Dios verdadero de Dios verdadero,
    Engendrado, no creado, de la misma esencia del Padre, *(Jn. 1.1-2; 3.18; 8.58; 14.9-10; 20.28;*
        Col. 1.15, 17; Heb. 1.3-6)
    por quien todo fue hecho. *(Jn. 1.3; Col. 1.16)*

Quien por nosotros los hombres, bajó del cielo para nuestra salvación
    y por obra del Espíritu Santo, se encarnó en la virgen María,
    y se hizo hombre. *(Mt. 1.20-23; Jn. 1.14; 6.38; Lc. 19.10)*
    Por nuestra causa fue crucificado en tiempos de Poncio Pilato,
    padeció y fue sepultado. *(Mt. 27.1-2; Mc. 15.24-39, 43-47; Hch. 13.29; Rom 5.8; Heb. 2.10; 13.12)*
    Resucitó al tercer día, según las Escrituras, *(Mc. 16.5-7; Lc. 24.6-8; Hch. 1.3; Rom 6.9; 10.9; 2 Ti. 2.8)*
    ascendió al cielo y está sentado a la derecha del Padre. *(Mc. 16.19; Ef. 1.19-20)*
    Él vendrá de nuevo con gloria,
    para juzgar a los vivos y a los muertos,
    y su Reino no tendrá fin. *(Is. 9.7; Mt. 24.30; Jn. 5.22; Hch. 1.11; 17.31; Rom 14.9; 2 Co. 5.10; 2 Ti. 4.1)*

Creemos en el Espíritu Santo, Señor y dador de vida,
        (Gn. 1.1-2; Job 33.4; Sal. 104.30; 139.7-8; Lc. 4.18-19; Jn. 3.5-6; Hch. 1.1-2; 1 Co. 2.11; Ap. 3.22)
    quien procede del Padre y del Hijo, *(Jn. 14.16-18, 26; 15.26; 20.22)*
    y juntamente con el Padre y el Hijo
    recibe la misma adoración y gloria, *(Is. 6.3; Mt. 28.19; 2 Co. 13.14; Ap. 4.8)*
    quien también habló por los profetas. *(Nm. 11.29; Miq. 3.8; Hch. 2.17-18; 2 Pe. 1.21)*

Creemos en la Iglesia santa, católica* y apostólica.
        (Mt. 16.18; Ef. 5.25-28; 1 Co. 1.2; 10.17; 1 Ti. 3.15; Ap. 7.9)

Confesamos que hay un sólo bautismo
    y perdón de los pecados, *(Hch. 22.16; 1 Pe. 3.21; Ef. 4.4-5)*
    y esperamos la resurrección de los muertos
    y la vida del siglo venidero. Amén. *(Is. 11.6-10; Miq. 4.1-7; Lc. 18.29-30; Ap. 21.1-5; 21.22-22.5)*

*El término "católica" se refiere a la universalidad de la Iglesia, a través de todos los tiempos y edades, de todas las lenguas y grupos de personas. Se refiere no a una tradición en particular o expresión denominacional (ej. como en la Católica Romana).

APÉNDICE 2

El Credo Niceno en métrica común

Adaptado por Don L. Davis ©2002. Todos los derechos reservados.

Dios el Padre gobierna, Creador de la tierra y los cielos.
¡Si, todas las cosas vistas y no vistas, por Él fueron hechas y dadas!

Nos adherimos a Jesucristo Señor, El único y solo Hijo de Dios
¡Unigénito, no creado, también, Él y nuestro Señor son uno!

Unigénito del Padre, el mismo, en esencia, Dios y Luz;
A través de Él todas las cosas fueron hechas por Dios, en Él fue dada la vida.

Quien es por todos, para salvación, bajó del cielo a la tierra,
Fue encarnado por el poder del Espíritu, y nace de la virgen María.

Quien por nosotros también, fue crucificado, por la mano de Poncio Pilato,
Sufrió, fue enterrado en la tumba, pero al tercer día resucitó otra vez.

De acuerdo al texto sagrado todo esto trató de decir.
Ascendió a los cielos, a la derecha de Dios, ahora sentado está en alto en gloria.

Vendrá de nuevo en gloria a juzgar a los vivos y a los muertos.
El gobierno de Su Reino no tendrá fin, porque reinará como Cabeza.

Adoramos a Dios, el Espíritu Santo, nuestro Señor, conocido como Dador de vida,
Con el Padre y el Hijo es glorificado, Quien por los profetas habló.

Y creemos en una Iglesia verdadera, el pueblo de Dios para todos los tiempos,
Universal en alcance, y edificada sobre la línea apostólica.

Reconociendo un bautismo, para perdón de nuestro pecado,
Esperamos por el día de la resurreción de los muertos que vivirán de nuevo.

Esperamos esos días sin fin, vida en la Era por venir,
¡Cuando el gran Reino de Cristo vendrá a la tierra, y la voluntad de Dios será hecha!

Esta canción es adaptada de El Credo Niceno, y preparada en métrica común (8.6.8.6), lo que significa que pueda ser cantada con la métrica de cantos tales como: Sublime gracia, Hay un precioso manantial, Al mundo paz.

APÉNDICE 3

La historia de Dios: Nuestras Raíces Sagradas

Rev. Dr. Don L. Davis

El Señor Dios es la fuente, sostén y fin de todas las cosas en los cielos y en la tierra. Porque de él, y para él, son todas las cosas. A él sea la gloria por los siglos. Amén. Rom. 11:36.

EL DRAMA DEL TRINO DIOS — La auto-revelación de Dios en la creación, Israel y Cristo

El fundamento objetivo: El amor soberano de Dios / Dios narra su obra de salvación en Cristo

LA PARTICIPACIÓN DE LA IGLESIA EN EL DRAMA DE DIOS — La fidelidad al testimonio apostólico de Cristo y Su Reino

La práctica subjetiva: Salvación por gracia mediante la fe / La respuesta de los redimidos por la obra salvadora de Dios en Cristo

El Alfa y el Omega	Christus Victor	Ven Espíritu Santo	Tu Palabra es verdad	La Gran Confesión	Su vida en nosotros	Vivir en el camino	Renacidos para servir
El Autor de la historia	*El Campeón de la historia*	*El Intérprete de la historia*	*El Testimonio de la historia*	*El Pueblo de la historia*	*La Re-creación de la historia*	*La Encarnación de la historia*	*La Continuación de la historia*
El Padre como *Director*	Jesús como *Actor principal*	El Espíritu como *Narrador*	Las Escrituras como el guión	Como santos confesores	Como ministros adoradores	Como seguidores peregrinos	Como testigos embajadores
Cosmovisión cristiana	*Identidad* común	*Experiencia* espiritual	*Autoridad* bíblica	*Teología* ortodoxa	*Adoración* sacerdotal	*Discipulado* congregacional	*Testigo* del Reino
Visión teísta y trinitaria	Fundamento Cristo-céntrico	Comunidad llena del Espíritu	Testimonio canónico apostólico	Afirmación del credo antiguo de fe	Reunión semanal de la Iglesia	Formación espiritual colectiva	Agentes activos del Reino de Dios
Soberana voluntad	Representación mesiánica	Consolador Divino	Testimonio inspirado	Repetición verdadera	Gozo sobresaliente	Residencia fiel	Esperanza irresistible
Creador — Verdadero hacedor del cosmos	Recapitulación — *Tipos* y cumplimiento del pacto	Dador de Vida — Regeneración y adopción	Inspiración Divina — La Palabra inspirada de Dios	La confesión de fe — Unión con Cristo	Canto y celebración — Recitación histórica	Supervisión pastoral — Pastoreo del rebaño	Unidad explícita — Amor para los santos
Dueño — Soberano de toda la creación	Revelador — Encarnación de la Palabra	Maestro — Iluminador de la verdad	Historia sagrada — Archivo histórico	Bautismo en Cristo — Comunión de los santos	Homilías y enseñanzas — Proclamación profética	Vida Espiritual — Viaje común a través de las disciplinas espirituales	Hospitalidad radical — Evidencia del reinado de Dios
Gobernador — Controlador bendito de todas las cosas	Redentor — Reconciliador de todas las cosas	Ayudador — Dotación y poder	Teología bíblica — Comentario divino	La regla de fe — El Credo Apostólico y El Credo Niceno	La Cena del Señor — Re-creación dramática	Encarnación — *Anamnesis y prolepsis* a través del año litúrgico	Generosidad excesiva — Buenas obras
Cumplidor del pacto — Fiel prometedor	Restaurador — Cristo el vencedor sobre los poderes del mal	Guía — Divina presencia y gloria de Dios	Alimento espiritual — Sustento para el viaje	El Canon Vicentino — Ubicuidad, antigüedad, universalidad	Presagio escatológico — EL YA y EL TODAVÍA NO	Discipulado efectivo — Formación espiritual en la asamblea de creyentes	Testimonio Evangélico — Haciendo discípulos a todas las personas

A P É N D I C E 4

La teología de Christus Victor

Un motivo bíblico para integrar y renovar a la iglesia urbana

Rev. Dr. Don L. Davis

	El Mesías prometido	El Verbo hecho carne	El Hijo del Hombre	El Siervo Sufriente	El Cordero de Dios	El Conquistador victorioso	El reinante Señor en los cielos	El Novio y el Rey que viene
Marco bíblico	La esperanza de Israel sobre el ungido de Jehová quien redimiría a su pueblo	En la persona de Jesús de Nazaret, el Señor ha venido al mundo	Como el rey prometido y el divino Hijo del Hombre, Jesús revela la gloria del Padre y la salvación al mundo	Como inaugurador del Reino, Jesús demuestra el reinado de Dios presente a través de sus palabras, maravillas y obras	Como Sumo Sacerdote y Cordero Pascual, Jesús se ofrece a Dios en nuestro lugar como un sacrificio por los pecados	En su resurrección y ascención a la diestra del Padre, Jesús es proclamado como victorioso sobre el poder del pecado y la muerte	Mientras ahora reina a la diestra del Padre hasta que sus enemigos estén bajo sus pies, Jesús derrama sus beneficios sobre su Iglesia	Pronto el Señor resucitado y ascendido volverá para reunirse con su novia, la Iglesia, para consumar su obra
Referencias bíblicas	Is. 9.6-7 / Jr. 23.5-6 / Is. 11.1-10	Jn. 1.14-18 / Mt. 1.20-23 / Flp. 2.6-8	Mt. 2.1-11 / Nm. 24.17 / Lc. 1.78-79	Mc. 1.14-15 / Mt. 12.25-30 / Lc. 17.20-21	2 Cor. 5.18-21 / Is. 52-53 / Jn. 1.29	Ef. 1.16-23 / Flp. 2.5-11 / Col. 1.15-20	1 Cor. 15-25 / Ef. 4.15-16 / Hch. 2.32-36	Rom. 14.7-9 / Ap. 5.9-13 / 1 Tes. 4.13-18
La historia de Jesús	El pre-encarnado, unigénito Hijo de Dios en gloria	Su concepción por el Espíritu y su nacimiento por María	Su manifestación a los sabios y al mundo	Sus enseñanzas, expulsión de demonios, milagros y obras portentuosas	Su sufrimiento, crucifixión, muerte y sepultura	Su resurrección, con apariciones a sus testigos y su ascención al Padre	El envío del Espíritu Santo y sus dones, y Cristo en reunión celestial a la diestra del Padre	Su pronto regreso de los cielos a la tierra como Señor y Cristo: la Segunda Venida
Descripción	La promesa bíblica para la simiente de Abraham, el profeta como Moisés, el hijo de David	Dios ha venido a nosotros mediante la encarnación; Jesús revela a la humanidad la gloria del Padre en plenitud	En Jesús, Dios ha mostrado su salvación al mundo entero, incluyendo a los gentiles	En Jesús, el Reino de Dios prometido ha venido visiblemente a la tierra, la cual está atada al diablo, para anular la maldición	Como el perfecto cordero de Dios, Jesús se ofrece a Dios como una ofrenda por el pecado en nombre del mundo entero	En su resurrección y ascención, Jesús destruyó la muerte, desarmó a Satanás y anuló la maldición	Jesús es colocado a la diestra del Padre como la Cabeza de la Iglesia, como el primogénito de entre los muertos y el supremo Señor en el cielo	Mientras trabajamos en su cosecha aquí en el mundo, esperamos el regreso de Cristo, el cumplimiento de su promesa
Calendario litúrgico	Adviento	Navidad	Después de epifanía / Bautismo y transfiguración	Cuaresma	Semana santa / La pasión	La pascua / La pascua, el día de ascención, pentecostés	Después de pentecostés / Domingo de la Trinidad	Después de pentecostés / El día de todos los santos, el reinado de Cristo el Rey
Formación espiritual	*La venida de Cristo* / Mientras esperamos su regreso, proclamemos la esperanza de Cristo	*El nacimiento de Cristo* / Oh Verbo hecho carne, que cada corazón le prepare un espacio para morar	*La manifestación de Cristo* / Divino Hijo del Hombre, muestra a las naciones tu salvación y gloria	*El ministerio de Cristo* / En la persona de Cristo, el poder del reinado de Cristo ha venido a la tierra y a la iglesia	*El sufrimiento y la muerte de Cristo* / Que los que compartan la muerte del Señor sean resucitados con Él	*La resurrección y ascención de Cristo* / Participemos por fe en la victoria de Cristo sobre el poder del pecado, Satanás y la muerte	*La reunión celestial de Cristo* / Ven Espíritu Santo, mora en nosotros y facúltanos para avanzar el Reino de Cristo en el mundo	*El reinado de Cristo* / Vivimos y trabajamos en espera de su pronto regreso, buscando agradarle en todas las cosas

A P É N D I C E   5

Christus Victor

Una visión integrada para la vida y el testimonio cristiana

Rev. Dr. Don L. Davis

Para la Iglesia

- La Iglesia es la extensión principal de Jesús en el mundo
- Tesoro redimido del victorioso Cristo resucitado
- *Laos*: El pueblo de Dios
- La nueva creación de Dios: la presencia del futuro
- Lugar y agente del Reino de el ya y el todavía no

Para la teología y la doctrina

- La palabra autoritativa de Cristo: la tradición apostólica: las santas Escrituras
- La Teología como comentario sobre la gran narrativa de Dios
- *Christus Victor* como el marco teológico para el sentido en la vida
- El Credo Niceno: la historia de la triunfante gracia de Dios

Para la vida espiritual

- La presencia y el poder del Espíritu Santo en medio del pueblo de Dios
- Participar en las disciplinas del Espíritu
- Reuniones, leccionario, liturgia y la observancia del año litúrgico
- Vivir la vida del Cristo resucitado en nuestra vida

Para los dones

- La gracia de Dios se dota y beneficia del *Christus Victor*
- Oficios pastorales para la Iglesia
- El Espíritu Santo da soberanamente los dones
- Administración: diferentes dones para el bien común

Christus Victor

Destructor del mal y la muerte
Restaurador de la creación
Vencedor del hades y del pecado
Aplastador de Satanás

Para la adoración

- Pueblo de la resurrección: celebración sin fin del pueblo de Dios
- Recordar y participar del evento de Cristo en nuestra adoración
- Escuchar y responder a la palabra
- Transformados en la Cena del Señor
- La presencia del Padre a través del Hijo en el Espíritu

Para la evangelización y las misiones

- La evangelización como la declaración y la demostración del *Christus Victor* al mundo
- El evangelio como la promesa del Reino
- Proclamamos que el Reino de Dios viene en la persona de Jesús de Nazaret
- La Gran Comisión: ir a todas las personas haciendo discípulos de Cristo y su Reino
- Proclamando a Cristo como Señor y Mesías

Para la justicia y la compasión

- Las expresiones amables y generosas de Jesús a través de la Iglesia
- La Iglesia muestra la vida misma del Reino
- La Iglesia demuestra la vida misma del Reino de los cielos aquí y ahora
- Habiendo recibido de gracia, damos de gracia (sin sentido de mérito u orgullo)
- La justicia como evidencia tangible del Reino venidero

A P É N D I C E 6

El Antiguo Testamento testifica de Cristo y Su Reino

Rev. Dr. Don L. Davis

Cristo es visto en el AT:	*Promesa y cumplimiento del pacto*	*Ley moral*	*Cristofanías*	*Tipología*	*Tabernáculo, festival y sacerdocio Levítico*	*Profecía mesiánica*	*Promesas de salvación*
Pasaje	Gn. 12.1-3	Mt. 5.17-18	Juan 1.18	1 Co. 15.45	Heb. 8.1-6	Mi. 5.2	Is. 9.6-7
Ejemplo	La simiente prometida del pacto Abrahámico	La ley dada en el Monte Sinaí	Comandante del ejército del Señor	Jonás y el gran pez	Melquisedec, como Sumo Sacerdote y Rey	El Siervo Sufriente del Señor	El linaje Justo de David
Cristo como	La simiente de la mujer	El Profeta de Dios	La actual revelación de Dios	El antitipo del drama de Dios	Nuestro eterno Sumo Sacerdote	El Hijo de Dios que vendrá	El Redentor y Rey de Israel
Ilustrado en	Gálatas	Mateo	Juan	Mateo	Hebreos	Lucas y Hechos	Juan y Apocalipsis
Propósito exegético: ve a Cristo	Como el centro del drama sagrado divino	Como el cumplimiento de la Ley	Como quien revela a Dios	Como antitipo de tipos divinos	En el *cultus* de Templo	Como el verdadero Mesías	Como el Rey que viene
Cómo es visto en el NT	Como cumplimiento del juramento de Dios	Como *telos* de la ley	Como la revelación completa, final y superior	Como sustancia detrás de la historia	Como la realidad detrás de las normas y funciones	Como el Reino que está presente	Como el que gobernará sobre el trono de David
Nuestra respuesta en adoración	Veracidad y fidelidad de Dios	La justicia perfecta de Dios	La presencia de Dios entre nosotros	La escritura Inspirada de Dios	La ontología de Dios: su Reino como lo principal y determinante	El siervo ungido y mediador de Dios	La respuesta divina para restaurar la autoridad de Su Reino
Cómo es vindicado Dios	Dios no miente: Él cumple su palabra	Jesús cumple toda justicia	La plenitud de Dios se nos revela en Jesús de Nazaret	El Espíritu habló por los profetas	El Señor ha provisto un mediador para la humanidad	Cada jota y tilde escrita de Él se cumplirá	El mal será aplastado y la creación será restaurada bajo Su Reino

APÉNDICE 7

Resumen del bosquejo de las Escrituras

Rev. Dr. Don L. Davis

1. GÉNESIS - El Principio
   a. Adán
   b. Noé
   c. Abraham
   d. Isaac
   e. Jacob
   f. José

2. ÉXODO - Redención
   a. Esclavitud
   b. Libertad
   c. Ley
   d. Tabernáculo

3. LEVÍTICO - Adoración y compañerismo
   A. Ofrendas, sacrificios
   b. Sacerdotes
   c. Fiestas, festivales

4. NÚMEROS - Servicio y recorrido
   a. Organizados
   b. Errantes

5. DEUTERONOMIO - Obediencia
   a. Moisés repasa la historia y la ley
   b. Leyes civiles y sociales
   c. Pacto palestino
   d. Bendiciones, muerte de Moisés

6. JOSUÉ - Redención (hacia)
   a. Conquistar la tierra
   b. Repartir la tierra
   c. La despedida de Josué

7. JUECES - La liberación de Dios
   a. Desobediencia y juicio
   b. Los doce jueces de Israel
   c. Desobedientes a la ley

8. RUT - Amor
   a. Rut escoge
   b. Rut trabaja
   c. Rut espera
   d. Rut recompensada

9. 1 SAMUEL - Reyes, perspectiva sacerdotal
   a. Elí
   b. Samuel
   c. Saúl
   d. David

10. 2 SAMUEL - David
    a. Rey de Judá
       (7½ años - Hebrón)
    b. Rey de todo Israel
       (33 años - Jerusalén)

11. 1 REYES - La gloria de Salomón, la decadencia del reino
    a. Gloria de Salomón
    b. Decadencia del reino
    c. El profeta Elías

12. 2 REYES- El reino dividido
    a. Eliseo
    b. Israel (el reino del norte cae)
    c. Judá (el reino del sur cae)

13. 1 CRÓNICAS - Templo de David
    a. Genealogías
    b. Fin del reino de Saúl
    c. Reino de David
    d. Preparaciones del templo

14. 2 CRÓNICAS - Abandonan el templo y la adoración
    A. Salomón
    B. Reyes de Judá

15. ESDRAS - La minoría (remanente)
    a. Primer retorno del exilio - Zorobabel
    b. Segundo retorno del exilio - Esdras (sacerdote)

16. NEHEMÍAS - Reconstruyendo la fe
    a. Reconstruyen los muros
    b. Avivamiento
    c. Reforma religiosa

17. ESTER - Salvación femenina
    a. Ester
    b. Amán
    c. Mardoqueo
    d. Liberación: Fiesta de Purim

18. JOB - Por qué los rectos sufren
    a. Job el piadoso
    b. Ataque de Satanás
    c. Cuatro amigos filósofos
    d. Dios vive

19. SALMOS - Oración y adoración
    a. Oraciones de David
    b. Sufrimiento piadoso, liberación
    c. Dios trata con Israel
    d. Sufrimiento del pueblo termina con el reinado de Dios
    e. La Palabra de Dios (los sufrimientos y glorioso regreso del Mesías)

20. PROVERBIOS - Sabiduría
    a. Sabiduría y necedad
    b. Salomón
    c. Salomón y Ezequías
    d. Agur
    e. Lemuel

21. ECLESIASTÉS - Vanidad
    a. Experimentación
    b. Observación
    C. Consideración
    e. Lemuel

22. CANTARES - Historia de amor

23. ISAÍAS - La justicia y gracia de Dios
    a. Profecías de castigos
    b. Historia
    c. Profecías de bendiciones

24. JEREMÍAS - El pecado de Judá los lleva a la cautividad babilónica
    a. Jeremías es llamado y facultado
    b. Judá es enjuiciado; cautividad babilónica
    c. Promesa de restauración
    d. Profetiza el juicio infligido
    e. Profetiza contra los gentiles
    f. Resume la cautividad de Judá

25. LAMENTACIONES - Lamento sobre Jerusalén
    a. Aflicción de Jerusalén
    b. Destruida por el pecado
    c. El sufrimiento del profeta
    d. Desolación presente y esplendor pasado
    e. Apelación a Dios por piedad

26. EZEQUIEL - Cautividad y restauración de Israel
    a. Juicio sobre Judá y Jerusalén
    b. Juicio a las naciones gentiles
    c. Israel restaurado; gloria futura de Jerusalén

27. DANIEL - El tiempo de los gentiles
    a. Historia; Nabucodonosor, Beltsasar, Daniel
    b. Profecía

28. OSEAS - Infidelidad
    a. Infidelidad
    b. Castigo
    c. Restauración

29. JOEL - El Día del Señor
    a. Plaga de langostas
    b. Eventos del futuro Día del Señor
    c. Orden del futuro Día del Señor

30. AMÓS - Dios juzga el pecado
    a. Naciones vecinas juzgadas
    b. Israel juzgado
    c. Visiones del futuro juicio
    d. Bendiciones de los juicios pasados sobre Israel

31. ABDÍAS - Destrucción de Edom
    a. Destrucción profetizada
    b. Razones de destrucción

Continuación 31. ABDÍAS
    c. Bendición futura de Israel
    d. Bendiciones de los juicios pasados sobre Israel

32. JONÁS - Salvación a los gentiles
    a. Jonás desobedece
    b. Otros sufren las consecuencias
    c. Jonás castigado
    d. Jonás obedece; miles son salvos
    e. Jonás enojado, sin amor por las almas

33. MIQUEAS - Pecados, juicio y restauración de Israel
    a. Pecado y juicio
    B. Gracia y futura restauración
    c. Apelación y petición

34. NAHÚM - Nínive enjuiciada
    a. Dios detesta el pecado
    b. Juicio de Nínive profetizado
    c. Razones del juicio y destrucción

35. HABACUC - El justo por la fe vivirá
    a. Queja por el pecado tolerado de Judá
    b. Los caldeos los castigarán
    c. Queja contra la maldad de los caldeos
    d. El castigo prometido
    e. Oración por avivamiento; fe en Dios

36. SOFONÍAS - Invasión babilónica, prototipo del Día del Señor
    a. Juicio sobre Judá predice el Gran Día del Señor
    b. Juicio sobre Jerusalén y pueblos vecinos predice el juicio final de las naciones
    c. Israel restaurado después de los juicios

37. HAGEO - Reconstruyen el templo
    a. Negligencia
    b. Valor
    c. Separación
    d. Juicio

38. ZACARÍAS - Las dos venidas de Cristo
    a. Visión de Zacarías
    b. Betel pregunta, Jehová responde
    c. Caída y salvación

39. MALAQUÍAS - Negligencia
    a. Pecados del sacerdote
    b. Pecados del pueblo
    c. Los pocos fieles

Resumen de los libros de las Escrituras (continuación)

1. MATEO - Jesús el Rey
   a. La Persona del Rey
   b. La preparación del Rey
   c. La propaganda del Rey
   d. El programa del Rey
   e. La pasión del Rey
   f. El poder del Rey

2. MARCOS - Jesús el Siervo
   a. Juan introduce al Siervo
   b. Dios Padre identifica al Siervo
   c. La tentación, inicio del Siervo
   d. Obra y palabra del Siervo
   e. Muerte, sepultura, resurrección

3. LUCAS - Jesucristo el perfecto Hombre
   a. Nacimiento y familia del Hombre perfecto
   b. El Hombre perfecto probado; su pueblo de nacimiento
   c. Ministerio del Hombre perfecto
   d. Traición, juicio, y muerte del Hombre perfecto
   e. Resurrección del Hombre perfecto

4. JUAN - Jesucristo es Dios
   a. Prólogo - la encarnación
   b. Introducción
   c. Testimonio de Jesús a sus apóstoles
   d. Pasión - testimonio al mundo
   e. Epílogo

5. HECHOS - El Espíritu Santo obrando en la Iglesia
   a. El Señor Jesús obrando por el Espíritu Santo a través de los apóstoles en Jerusalén
   b. En Judea y Samaria
   c. Hasta los confines de la tierra

6. ROMANOS - La Justificación de Dios
   a. Saludos
   b. Pecado y salvación
   c. Santificación
   d. Lucha
   e. Vida llena del Espíritu Santo
   f. Seguridad de la salvación
   g. Apartarse
   h. Sacrificio y servicio
   i. Separación y despedida

7. 1 CORINTIOS - El Señorío de Cristo
   a. Saludos y agradecimiento
   b. Estado moral de los corintios
   c. Concerniente al evangelio
   d. Concerniente a las ofrendas

8. 2 CORINTIOS - El Ministerio en la Iglesia
   a. El consuelo de Dios
   b. Ofrenda para los pobres
   c. Llamamiento del apóstol Pablo

9. GÁLATAS - Justificación por la fe
   a. Introducción
   b. Lo personal - autoridad del apóstol y gloria del evangelio
   c. Lo doctrinal - justificación por la fe
   d. Lo práctico - santificación mediante el Espíritu Santo
   e. Conclusión autografiada y exhortación

10. EFESIOS - La Iglesia de Jesucristo
    a. Lo doctrinal - el llamado celestial a la Iglesia
       Un cuerpo
       Un templo
       Un misterio
    b. Lo práctico - la conducta terrenal de la Iglesia
       Un nuevo hombre
       Una novia
       Un ejército

11. FILIPENSES - Gozo de la vida cristiana
    a. Filosofía de la vida cristiana
    b. Pautas para la vida cristiana
    c. Premios para la vida cristiana
    d. Poder para la vida cristiana

12. COLOSENSES - Cristo la plenitud de Dios
    a. Lo doctrinal - En Cristo los creyentes están completos
    b. Lo práctico - La vida de Cristo derramada sobre los creyentes, y a través de ellos

13. 1 TESALONICENSES - La segunda venida de Cristo:
    a. Es una esperanza inspiradora
    b. Es una esperanza operadora
    c. Es una esperanza purificadora
    d. Es una esperanza alentadora
    e. Es una esperanza estimulante y resplandeciente

14. 2 TESALONICENSES - La segunda venida de Cristo
    a. Persecución de los creyentes ahora; el juicio futuro de los impíos (en la venida de Cristo)
    b. Programa del mundo en conexión con la venida de Cristo
    c. Asuntos prácticos asociados con la venida de Cristo

15. 1 TIMOTEO - Gobierno y orden en la iglesia local
    a. La fe de la iglesia
    b. Oración pública y el lugar de las mujeres en la iglesia
    c. Oficiales en la iglesia
    d. Apostasía en la iglesia
    e. Responsabilidades de los oficiales en la iglesia

16. 2 TIMOTEO - Lealtad en los días de apostasía
    a. Aflicciones por el evangelio
    b. Activos en servicio
    c. Apostasía venidera; autoridad de las Escrituras
    d. Alianza al Señor

17. TITO - La iglesia ideal del Nuevo Testamento
    a. La Iglesia es una organización
    b. La Iglesia debe enseñar y predicar la Palabra de Dios
    c. La Iglesia debe hacer buenas obras

18. FILEMÓN - Revelar el amor de Cristo y enseñar el amor fraternal
    a. Saludo afable a Filemón y su familia
    b. Buena reputación de Filemón
    c. Ruego humilde por Onésimo
    d. Ilustración inocente de imputación
    E. Peticiones generales

19. HEBREOS - Superioridad de Cristo
    a. Lo doctrinal - Cristo mejor que el A.T.
    b. Lo práctico - Cristo trae mejores beneficios

20. SANTIAGO - Ética del cristianismo
    a. Fe probada
    b. Control de la lengua
    c. Sobre la mundanalidad
    d. De la venida del Señor

21. 1 PEDRO - Esperanza cristiana en tiempo de persecución y prueba
    a. Sufrimiento y seguridad
    B. Sufrimiento y la Biblia
    c. Sufrimiento de Cristo
    d. Sufrimiento y la segunda venida de Cristo

22. 2 PEDRO - Advertencia contra los falsos maestros
    a. Crecimiento en la gracia cristiana da seguridad
    b. Autoridad de la Biblia
    c. Apostasía
    d. Actitud hacia el retorno de Cristo
    e. Agenda de Dios en el mundo
    f. Advertencia a los creyentes

23. 1 JUAN - La familia de Dios
    a. Dios es luz
    b. Dios es amor
    c. Dios es vida

24. 2 JUAN - Advertencia a no recibir engañadores
    a. Caminar en la verdad
    b. Amarse unos a otros
    c. No recibir engañadores
    d. Gozo en la comunión

25. 3 JUAN - Amonestación a recibir a los verdaderos creyentes
    a. Gayo, hermano en la iglesia
    b. Oposición de Diótrefes
    c. Buen testimonio de Demetrio

26. JUDAS - Contendiendo por la Fe
    a. Ocasión de la epístola
    b. Acontecimientos de apostasía
    c. Ocupación de los creyentes en los días de la apostasía

27. APOCALIPSIS - La revelación del Cristo glorificado
    a. Cristo en gloria
    b. Posesión de Jesucristo - la Iglesia en el mundo
    c. Programa de Jesucristo - la escena en el cielo
    d. Los siete sellos
    e. Las siete trompetas
    f. Personas importantes en los últimos días
    g. Las siete copas
    h. La caída de Babilonia
    i. El estado eterno

A P É N D I C E   8

Desde antes hasta después del tiempo:
El plan de Dios y la historia humana

Adaptado de Suzanne de Dietrich. **Desarrollo del Propósito de Dios.** *Philadelphia: Westminster Press, 1976.*

I. Antes del tiempo (La eternidad pasada) 1 Co. 2.7

   A. El eterno Dios trino

   B. El propósito eterno de Dios

   C. El misterio de la iniquidad

   D. Los principados y potestades

II. El inicio del tiempo (La creación y caída) Gn. 1.1

   A. La Palabra creadora

   B. La humanidad

   C. La Caída

   D. El reinado de la muerte y primeras señales de la gracia

III. El despliegue de los tiempos (El plan de Dios revelado a través de Israel) Gál. 3.8

   A. La promesa (patriarcas)

   B. El ÉXODO y el pacto del Sinaí

   C. La Tierra prometida

   D. La ciudad, el templo, y el trono (profeta, sacerdote, y rey)

   E. El exilio

   F. El remanente

IV. La plenitud del tiempo (La encarnación del Mesías) Gál. 4.4-5

   A. El Rey viene a su Reino

   B. La realidad presente de su reino

   C. El secreto del Reino: Ya está aquí, pero todavía no

   D. El Rey crucificado

   E. El Señor resucitado

V. Los últimos tiempos (El derramamiento del Espíritu Santo) Hch. 2.16-18

   A. En medio de los tiempos: La Iglesia como el anticipo del Reino

   B. La Iglesia como el agente del Reino

   C. El conflicto entre el Reino de la luz y el reino de las tinieblas

VI. El cumplimiento de los tiempos (El retorno de Cristo) Mt. 13.40-43

   A. La Segunda Venida de Cristo

   B. El juicio

   C. La consumación de su Reino

VII. Después del tiempo (La eternidad futura) 1 Co. 15.24-28

   A. El Reino traspasado a Dios el Padre

   B. Dios como el todo en todo

Desde antes hasta después del tiempo
Bosquejo de las Escrituras sobre los puntos más importantes

I. Antes del tiempo (La eternidad pasada)

1 Co. 2.7 - Mas hablamos sabiduría de Dios en misterio, la sabiduría oculta, *la cual Dios predestinó antes de los siglos* para nuestra gloria (compárese con Tito 1.2).

II. El inicio del tiempo (La creación y caída)

Gn. 1.1 - *En el principio*, Dios creó los cielos y la tierra.

III. El despliegue de los tiempos (El plan de Dios revelado a través de Israel)

Gál. 3.8 - Y la Escritura, previendo que Dios había de justificar por la fe a los gentiles, *dio de antemano la buena nueva a Abraham*, diciendo: En ti serán benditas todas las naciones (compárese con Rom 9.4-5).

IV. La plenitud del tiempo (La encarnación del Mesías)

Gál. 4.4-5 - *Pero cuando vino el cumplimiento del tiempo*, Dios envió a su Hijo, nacido de mujer y nacido bajo la ley, para que redimiese a los que estaban bajo la ley, a fin de que recibiésemos la adopción de hijos.

V. Los últimos tiempos (El derramamiento del Espíritu Santo)

Hch. 2.16-18 - Mas esto es lo dicho por el profeta Joel: *Y en los postreros días*, dice Dios, derramaré de mi Espíritu sobre toda carne, y vuestros hijos y vuestras hijas profetizarán; vuestros jóvenes verán visiones, y vuestros ancianos soñarán sueños; y de cierto sobre mis siervos y sobre mis siervas en aquellos días derramaré de mi Espíritu, y profetizarán.

VI. El cumplimiento de los tiempos (La Segunda Venida de Cristo)

Mt. 13.40-43 - De manera que como se arranca la cizaña, y se quema en el fuego, *así será en el fin de este siglo*. Enviará el Hijo del Hombre a sus ángeles, y recogerán de su reino a todos los que sirven de tropiezo, y a los que hacen iniquidad, y los echarán en el horno de fuego; allí será el lloro y el crujir de dientes. Entonces los justos resplandecerán como el sol en el reino de su Padre. El que tiene oídos para oír, oiga.

VII. Después del tiempo (La eternidad futura)

1 Co. 15.24-28 - Luego el fin, cuando entregue el reino al Dios y Padre, cuando haya suprimido todo dominio, toda autoridad y potencia. Porque preciso es que él reine hasta que haya puesto a todos sus enemigos debajo de sus pies. Y el postrer enemigo que será destruido es la muerte. Porque todas las cosas las sujetó debajo de sus pies. Y cuando dice que todas las cosas han sido sujetadas a él, claramente se exceptúa aquel que sujetó a él todas las cosas. Pero luego que todas las cosas le estén sujetas, entonces también el Hijo mismo se sujetará al que le sujetó a él todas las cosas, para que Dios sea todo en todos.

APÉNDICE 9

"Hay un río"

Identificando las corrientes del auténtico re-avivamiento de la comunidad cristiana en la ciudad[1]

Rev. Dr. Don L. Davis • Salmo 46.4 - Del río sus corrientes alegran la ciudad de Dios, el santuario de las moradas del Altísimo.

Contribuyentes de la historia auténtica de la fe bíblica			
Identidad bíblica reafirmada	*Espiritualidad urbana reavivada*	*Legado histórico restaurado*	*Ministerio del Reino re-enfocado*
La Iglesia es una	La Iglesia es santa	La Iglesia es católica (universal)	La Iglesia es apostólica
Un llamado a la fidelidad bíblica *reconociendo las Escrituras como la raíz y el cimiento de la visión cristiana*	Un llamado a vivir como peregrinos y extranjeros como pueblo de Dios *definiendo el discipulado cristiano auténtico como la membresía fiel entre el pueblo de Dios*	Un llamado a nuestras raíces históricas y a la comunidad *confesando la histórica identidad común y la continuidad de la auténtica fe cristiana*	Un llamado a afirmar y expresar la comunión global de los santos *expresando cooperación local y colaboración global con otros creyentes*
Un llamado a una identidad mesiánica del Reino *re-descubriendo la historia del Mesías prometido y su Reino en Jesús de Nazaret*	Un llamado a la libertad, poder y plenitud del Espíritu Santo *caminando en santidad, poder, dones, y libertad del Espíritu Santo en el cuerpo de Cristo*	Un llamado a una afinidad de credo *teniendo El Credo Niceno como la regla de fe de la ortodoxia histórica*	Un llamado a la hospitalidad radical y las buenas obras *demostrando la ética del Reino con obras de servicio, amor y justicia*
Un llamado a la fe de los apóstoles *afirmando la tradición apostólica como la base autoritaria de la esperanza cristiana*	Un llamado a una vitalidad litúrgica, sacramental y doctrinal *experimentando la presencia de Dios en el contexto de la adoración, ordenanzas y enseñanza*	Un llamado a la autoridad eclesiástica *sometiéndonos a los dotados siervos de Dios en la Iglesia como co-pastores con Cristo en la fe verdadera*	Un llamado al testimonio profético y completo *proclamando a Cristo y su Reino en palabra y hechos a nuestros vecinos y toda gente*

[1] *Este esquema es una adaptación y está basada en la introspección de la declaración* **El Llamado a Chicago** *en mayo de 1977, donde varios líderes académicos evangélicos y pastores se reunieron para discutir la relación entre el evangelicalismo moderno y la fe del cristianismo histórico.*

A P É N D I C E 1 0

Esquema para una teología del Reino y la Iglesia

Instituto Ministerial Urbano

El reinado del único, verdadero, soberano, y trino Dios, el SEÑOR Dios, YHWH (Jehová), Dios Padre, Hijo y Espíritu Santo

El Padre	El Hijo	El Espíritu
Amor - 1 Juan 4.8 Creador del cielo y la tierra y todas las cosas visibles e invisibles	Fe - Heb. 12.2 Profeta, Sacerdote, y Rey	Esperanza - Rom. 15.13 Señor de la Iglesia
Creación Todo lo que existe a través de la acción creadora de Dios.	**Reino** El reino de Dios existe en el gobierno del Mesías, su Hijo Jesús.	**Iglesia** La comunidad santa y apostólica que sirve como testigo (Hech. 28.31) y anticipo (Col. 1.12; Sant. 1.18; 1 Ped. 2.9; Apoc. 1.6) del reino de Dios.

El Padre	El Hijo / Reino	El Espíritu / Iglesia
Rom. 8.18-21 → El eterno Dios, soberano en poder, infinito en sabiduría, perfecto en santidad y amor incondicional, es la fuente y fin de todas las cosas.	**Libertad** (Esclavitud) Jesús les respondió: De cierto, de cierto os digo, que todo aquel que hace pecado, esclavo es del pecado. Y el esclavo no queda en la casa para siempre; el hijo sí queda para siempre; Así que, si el Hijo os libertare, seréis verdaderamente libres. - Juan 8.34-36	*La Iglesia es una comunidad apostólica donde la Palabra es predicada correctamente, por consiguiente es una comunidad de:* **Llamado** - Estad, pues, firmes en la libertad con que Cristo nos hizo libres, y no estéis otra vez sujetos al yugo de esclavitud. - Gál. 5.1 (comparar con Rom. 8.28-30; 1 Cor. 1.26-31; Ef. 1.18; 2 Tes. 2.13-14; Jud. 1.1) **Fe** - «Porque si no creéis que yo soy, en vuestros pecados moriréis». . . . Dijo entonces Jesús a los judíos que habían creído en él: Si vosotros permaneciereis en mi palabra, seréis verdaderamente mis discípulos; y conoceréis la verdad, y la verdad os hará libres. - Juan 8.24b, 31-32 (comparar con Sal. 119.45; Rom. 1.17; 5.1-2; Ef. 2.8-9; 2 Tim. 1.13-14; Hech. 2.14-15; Sant. 1.25) **Testimonio** - El Espíritu del Señor está sobre mí, por cuanto me ha ungido para dar buenas nuevas a los pobres; me ha enviado a sanar a los quebrantados de corazón; a pregonar libertad a los cautivos, y vista a los ciegos; a poner en libertad a los oprimidos; a predicar el año agradable del Señor. - Luc. 4.18-19 (Ver Lev. 25.10; Prov. 31.8; Mat. 4.17; 28.18-20; Mar. 13.10; Hech. 1.8; 8.4, 12; 13.1-3; 25.20; 28.30-31)
¡Oh profundidad de las riquezas de la sabiduría y de la ciencia de Dios! ¡Cuán insondables son sus juicios, e inescrutables sus caminos! Porque ¿quién entendió la mente del Señor? ¿O quién fue su consejero? ¿O quién le dio a él primero, para que le fuese recompensado? Porque de él, y por él, y para él, son todas las cosas. A él sea la gloria por los siglos. Amén. - Rom. 11.33-36 (comparar con 1 Cor. 15.23-28).	**Entereza (física y emocional)** (Enfermedad) Mas él herido fue por nuestras rebeliones, molido por nuestros pecados; el castigo de nuestra paz fue sobre él, y por su llaga fuimos nosotros curados. - Isa. 53.5	*La Iglesia es la comunidad donde las ordenanzas son administradas correctamente, por lo tanto es una comunidad de:* **Adoración** - Mas a Jehová vuestro Dios serviréis, y él bendecirá tu pan y tus aguas; y yo quitaré toda enfermedad de en medio de ti. - Ex. 23.25 (comparar con Sal. 147.1-3; Hech. 12.28; Col. 3.16; Apoc. 15.3-4; 19.5) **Pacto** - Y nos atestigua lo mismo el Espíritu Santo; porque después de haber dicho: Este es el pacto que haré con ellos después de aquellos días, dice el Señor: Pondré mis leyes en sus corazones, y en sus mentes las escribiré, añade: Y nunca más me acordaré de sus pecados y transgresiones. - Hech. 10.15-17 (comparar con Isa. 54.10-17; Ezeq. 34.25-31; 37.26-27; Mal. 2.4-5; Luc. 22.20; 2 Cor. 3.6; Col. 3.15; Heb. 8.7-13; 12.22-24; 13.20-21) **Presencia** - En quien vosotros también sois juntamente edificados para morada de Dios en el Espíritu. - Ef. 2.22 (comparar con Ex. 40.34-38; Ezeq. 48.35; Mat. 18.18-20)
Apoc. 21.1-5 →	**Justicia** (Egoísmo) He aquí mi siervo, a quien he escogido; mi Amado, en quien se agrada mi alma; pondré mi Espíritu sobre él, y a los gentiles anunciará juicio. No contenderá, ni voceará, ni nadie oirá en las calles su voz. La caña cascada no quebrará, y el pábilo que humea no apagará, hasta que saque a victoria el juicio. - Mat. 12.18-20	*La Iglesia es una comunidad santa donde la disciplina es aplicada, por lo tanto es una comunidad de:* **Reconciliación** - Porque él es nuestra paz, que de ambos pueblos hizo uno, derribando la pared intermedia de separación, aboliendo en su carne las enemistades, la ley de los mandamientos expresados en ordenanzas, para crear en sí mismo de los dos un solo y nuevo hombre, haciendo la paz, y mediante la cruz reconciliar con Dios a ambos en un solo cuerpo, matando en ella las enemistades. Y vino y anunció las buenas nuevas de paz a vosotros que estabais lejos, y a los que estaban cerca; porque por medio de él los unos y los otros tenemos entrada por un mismo Espíritu al Padre. - Ef. 2.14-18 (comparar con Ex. 23.4-9; Lev. 19.34; Deut. 10.18-19; Ezeq. 22.29; Miq. 6.8; 2 Cor. 5.16-21) **Padecimientos** - Puesto que Cristo ha padecido por nosotros en la carne, vosotros también armaos del mismo pensamiento; pues quien ha padecido en la carne, terminó con el pecado, para no vivir el tiempo que resta en la carne, conforme a las concupiscencias de los hombres, sino conforme a la voluntad de Dios. - 1 Ped. 4.1-2 (comparar con Luc. 6.22; 10.3; Rom. 8.17; 2 Tim. 2.3; 3.12; 1 Ped. 2.20-24; Heb. 5.8; 13.11-14) **Servicio** - Entonces Jesús, llamándolos, dijo: Sabéis que los gobernantes de las naciones se enseñorean de ellas, y los que son grandes ejercen sobre ellas potestad. Mas entre vosotros no será así, sino que el que quiera hacerse grande entre vosotros será vuestro servidor, y el que quiera ser el primero entre vosotros será vuestro siervo. - Mat. 20.25-27 (comparar con 1 Juan 4.16-18; Gál. 2.10)
	Isa. 11.6-9 → Morará el lobo con el cordero, y el leopardo con el cabrito se acostará; el becerro y el león y la bestia doméstica andarán juntos, y un niño los pastoreará. La vaca y la osa pacerán, sus crías se echarán juntas; y el león como el buey comerá paja. Y el niño de pecho jugará sobre la cueva del áspid, y el recién destetado extenderá su mano sobre la caverna de la víbora. No harán mal ni dañarán en todo mi santo monte; porque la tierra será llena del conocimiento de Jehová, como las aguas cubren el mar.	

A P É N D I C E 1 1

Viviendo en el Reino del YA y EL TODAVÍA NO

Rev. Dr. Don L. Davis

El Espíritu: La promesa de la herencia **(arrabón)**

La Iglesia: El anticipo **(aparqué)** del Reino

"En Cristo": La vida rica **(en Cristós)** que compartimos como ciudadanos del Reino

Enemigo interno: La carne (*sarx*) y la naturaleza del pecado

Enemigo externo: El mundo (*kósmos*), los sistemas de avaricia, lujuria, y el orgullo

Enemigo infernal: El diablo (*kakós*), el espíritu incitador de la mentira y el miedo

Interpretación Judía del tiempo

La era presente   La era venidera

La venida del Mesías

La restauración de Israel

El fin de la opresión gentil

El retorno de la tierra a la gloria edénica

Conocimiento universal del Señor

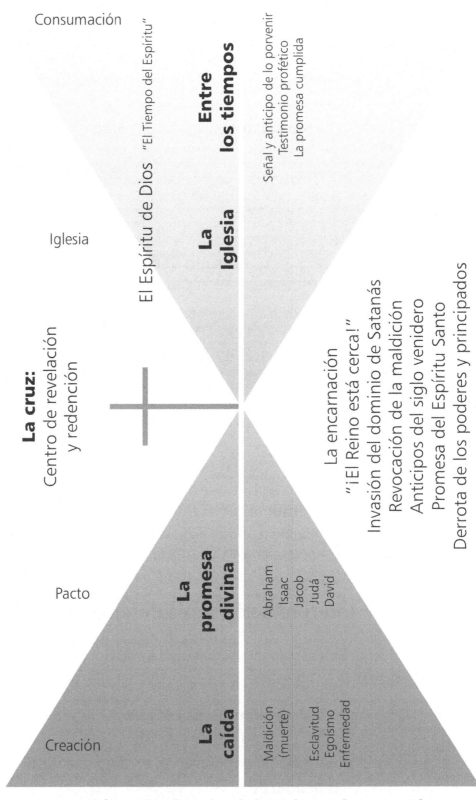

APÉNDICE 12

Jesús de Nazaret: La presencia del futuro

Rev. Dr. Don L. Davis

Glorificación: Cielos nuevos y tierra nueva

Consumación

Entre los tiempos

Señal y anticipo de lo porvenir
Testimonio profético
La promesa cumplida

El Espíritu de Dios   "El Tiempo del Espíritu"

Iglesia

La Iglesia

La cruz:
Centro de revelación y redención

La encarnación
"¡El Reino está cerca!"
Invasión del dominio de Satanás
Revocación de la maldición
Anticipos del siglo venidero
Promesa del Espíritu Santo
Derrota de los poderes y principados

Pacto

La promesa divina

Abraham
Isaac
Jacob
Judá
David

Creación

La caída

Maldición (muerte)

Esclavitud
Egoísmo
Enfermedad

Creación: El reinado del Todopoderoso Dios

Tradiciones
(Gr. Paradosis)
Dr. Don L. Davis y Rev. Terry G. Cornett

Definición de la concordancia Strong

Paradosis. Transmisión de un precepto; específicamente, la ley tradicional judía. Se refiere a una ordenanza o tradición.

Explicación del diccionario Vine

Denota "una tradición", y he allí, por atributo específico de palabras, (a) "las enseñanzas de los rabinos", . . . (b) "enseñanza apostólica", . . . de las instrucciones concernientes a la asamblea de creyentes, de la doctrina cristiana en general . . . de las instrucciones concernientes a la conducta diaria.

1. El concepto de la tradición en la Escritura es esencialmente positivo.

Jer. 6.16 (LBLA) - Así dice el SEÑOR: Paraos en los caminos y mirad, y preguntad por los senderos antiguos cuál es el buen camino, y andad por él; y hallaréis descanso para vuestras almas. Pero dijeron: "No andaremos en él" (compare con Éxo. 3.15; Jer. 2.17; 1 Re. 8.57-58; Sal. 78.1-6).

2 Cr. 35.25 - Y Jeremías endechó en memoria de Josías. Todos los cantores y cantoras recitan esas lamentaciones sobre Josías hasta hoy; y las tomaron por norma para endechar en Israel, las cuales están escritas en el libro de Lamentaciones (compare con Gn. 32.32; Jer. 11.38-40).

Jer. 35.14-19 (LBLA) - Las palabras de Jonadab, Hijo de Recab, que mandó a sus hijos de no beber vino, son guardadas. Por eso no beben vino hasta hoy, porque han obedecido el mandato de su padre. Pero yo os he hablado repetidas veces, con todo no me habéis escuchado. También os he enviado a todos mis siervos los profetas, enviándolos repetidas veces, a deciros: "Volveos ahora cada uno de vuestro mal camino, enmendad vuestras obras y no vayáis tras otros dioses para adorárlos, y habitaréis en la tierra que os he dado, a vosotros y a vuestros padres; pero no inclinasteis vuestro oído, ni me escuchasteis. Ciertamente los hijos de Jonadab, Hijo de Recab, han guardado el mandato que su padre les ordenó, pero este pueblo no me ha escuchado". Por tanto así dice el SEÑOR, Dios de los

Tradiciones (continuación)

ejércitos, el Dios de Israel: "He aquí, traigo sobre Judá y sobre todos los habitantes de Jerusalén toda la calamidad que he pronunciado contra ellos, porque les hablé, pero no escucharon, y los llamé, pero no respondieron". Entonces Jeremías dijo a la casa de los recabitas: Así dice el SEÑOR de los ejércitos, el Dios de Israel: "Por cuanto habéis obedecido el mandato de vuestro padre Jonadab, guardando todos sus mandatos y haciendo conforme a todo lo que él os ordenó, por tanto, así dice el SEÑOR de los ejércitos, el Dios de Israel: 'A Jonadab, Hijo de Recab, no le faltará hombre que esté delante de mí todos los días'".

2. La tradición santa es maravillosa; pero no toda tradición es santa.

Toda tradición debe ser evaluada individualmente por su fidelidad a la Palabra de Dios y su eficacia en ayudarnos a mantener la obediencia al ejemplo de Cristo y sus enseñanzas.[1] En los Evangelios, Jesús frecuentemente reprendía a los fariseos por establecer tradiciones que anulaban, en lugar de afirmar, los mandamientos de Dios.

Mc. 7.8 - Porque dejando el mandamiento de Dios, os aferráis a la tradición de los hombres (compare con Mt. 15.2-6; Mc. 7.13).

Col. 2.8 - Mirad que nadie os engañe por medio de filosofías y huecas sutilezas, según las tradiciones de los hombres, conforme a los rudimentos del mundo, y no según Cristo.

3. Sin la plenitud del Espíritu Santo y la constante edificación, que nos es provista por la Palabra de Dios, la tradición inevitablemente nos llevará al formalismo muerto.

Todos los que somos espirituales, de igual manera, debemos ser llenos del Espíritu Santo: Del poder y guía del único que provee a toda congregación e individuo un sentido de libertad y vitalidad en todo lo que practicamos y creemos. Sin embargo, cuando las prácticas y enseñanzas de una tradición dejan de ser inyectadas por el poder del Espíritu Santo y la Palabra de Dios, la tradición pierde su efectividad; y podría llegar a ser contraproducente a nuestro discipulado en Jesucristo.

Ef. 5.18 - No os embriaguéis con vino, en lo cual hay disolución; antes bien sed llenos del Espíritu.

[1] *"Todo Protestante insiste que estas tradiciones tienen que ser siempre probadas por las Escrituras y que nunca pueden poseer una autoridad apostólica independiente sobre o a la par de la Escritura" (J. Van Engen, Tradition, **Evangelical Dictionary of Theology**, Walter Elwell, Gen. ed.). Nosotros añadimos que la Escritura es la misma "tradición autoritativa" por la que todas las demás tradiciones son evaluadas. Ver la 4ª pág. de este apéndice: "Apéndice A, Los fundadores de la tradición: Tres niveles de autoridad cristiana".*

Tradiciones (continuación)

Gál. 5.22-25 - Mas el fruto del Espíritu es amor, gozo, paz, paciencia, benignidad, bondad, fe, mansedumbre, templanza; contra tales cosas no hay ley. Pero los que son de Cristo han crucificado la carne con sus pasiones y deseos. Si vivimos por el Espíritu, andemos también por el Espíritu.

2 Co. 3.5-6 (NVI) - No es que nos consideremos competentes en nosotros mismos. Nuestra capacidad viene de Dios. Él nos ha capacitado para ser servidores de un nuevo pacto, no el de la letra sino el del Espíritu; porque la letra mata, pero el Espíritu da vida.

4. **La fidelidad a la tradición apostólica (enseñando y modelando) es la esencia de la madurez cristiana.**

2 Ti. 2.2 - Lo que has oído de mí ante muchos testigos, esto encarga a hombres fieles que sean idóneos para enseñar también a otros.

1 Co. 11.1-2 (LBLA) - Sed imitadores de mí, como también yo lo soy de Cristo. Os alabo porque en todo os acordáis de mí y guardáis las tradiciones con firmeza, tal como yo os las entregué (compare con 1 Co. 4.16-17, 2 Ti. 1.13-14, 2 Te. 3.7-9, Fil. 4.9).

1 Co. 15.3-8 (LBLA) - Porque yo os entregué en primer lugar lo mismo que recibí: que Cristo murió por nuestros pecados, conforme a las Escrituras; que fue sepultado y que resucitó al tercer día, conforme a las Escrituras; que se apareció a Cefas y después a los doce; luego se apareció a más de quinientos hermanos a la vez, la mayoría de los cuales viven aún, pero algunos ya duermen; después se apareció a Jacobo, luego a todos los apóstoles, y al último de todos, como a uno nacido fuera de tiempo, se me apareció también a mí.

5. **El apóstol Pablo a menudo incluye una apelación a la tradición como apoyo de las prácticas doctrinales.**

1 Co. 11.16 - Con todo eso, si alguno quiere ser contencioso, nosotros no tenemos tal costumbre, ni las iglesias de Dios (compare con 1 Co. 1.2, 7.17, 15.3).

1 Co. 14.33-34 (LBLA) - Porque Dios no es Dios de confusión, sino de paz, como en todas las iglesias de los santos. Las mujeres guarden silencio en las iglesias, porque no les es permitido hablar, antes bien, que se sujeten como dice también la ley.

Tradiciones (continuación)

6. Cuando una congregación usa la tradición recibida para mantenerse fiel a la "Palabra de Dios", es felicitada por los apóstoles.

1 Co. 11.2 (LBLA) - Os alabo porque en todo os acordáis de mí y guardáis las tradiciones con firmeza, tal como yo os las entregué.

2 Ts. 2.15 - Así que, hermanos, estad firmes, y retened la doctrina que habéis aprendido, sea por palabra, o por carta nuestra.

2 Ts. 3.6 (BLS) - Hermanos míos, con la autoridad que nuestro Señor Jesucristo nos da, les ordenamos que se alejen de cualquier miembro de la iglesia que no quiera trabajar ni viva de acuerdo con la enseñanza que les dimos.

Apéndice A

Los fundadores de la tradición: Tres niveles de autoridad cristiana

Éxo. 3.15 - Además dijo Dios a Moisés: Así dirás a los hijos de Israel: Jehová, el Dios de vuestros padres, el Dios de Abraham, Dios de Isaac y Dios de Jacob, me ha enviado a vosotros. Este es mi nombre para siempre; con él se me recordará por todos los siglos.

1. La Tradición Autoritativa: Los apóstoles y los profetas (las Santas Escrituras)

Ef. 2.19-21 - *Así que ya no sois extranjeros ni advenedizos, sino conciudadanos de los santos, y miembros de la familia de Dios, edificados sobre el fundamento de los apóstoles y profetas, siendo la principal piedra del ángulo Jesucristo mismo, en quien todo el edificio, bien coordinado, va creciendo para ser un templo santo en el Señor.*

~ El Apóstol Pablo

Jehová: Se relaciona con el verbo "hayah", que significa "ser". Su pronunciaci n suena similar a la forma verbal de Ex. 3.14, donde se traduce como "Yo soy". Jehov es la transcripci n de las consonantes hebreas de YHWH. En inglés, se está usando la forma poética YAHWEH. Algunas traducciones hispanas han adoptado "Yavéh", otras usan SEÑOR. Los jud os remplazan YHWH con Adonai ya que la consideran muy santa para ser emitida.

Tradiciones (continuación)

El testimonio ocular de la revelación y hechos salvadores de Jehová, primero en Israel, y finalmente en Jesucristo el Mesías, une a toda persona, en todo tiempo, y en todo lugar. Es la tradición autoritativa por la que toda tradición posterior es juzgada.

2. La Gran Tradición: Los concilios colectivos y sus credos[2]

Lo que ha sido creído en todo lugar, siempre y por todos.

~ Vicente de Lérins

[2] *Ver la7ª página de este apéndice: Apéndice B: "Definiendo la Gran Tradición".*

"La Gran Tradición" es la doctrina central (el dogma) de la Iglesia. Representa la enseñanza de la Iglesia, tal como la ha entendido la Tradición Autoritativa (las Santas Escrituras), y resume aquellas verdades esenciales que los cristianos de todos los siglos han confesado y creído. La Iglesia (Católica, Ortodoxa, y Protestante)[3] se une a estas proclamaciones doctrinales. La adoración y teología de la Iglesia reflejan este dogma central, el cual encuentra su conclusión y cumplimiento en la persona y obra del Señor Jesucristo. Desde los primeros siglos, los cristianos hemos expresado esta devoción a Dios en el calendario de la Iglesia; un patrón anual de adoración que resume y da un nuevo reconocimiento a los eventos en la vida de Cristo.

[3] *Aun los Protestantes más radicales de la reforma (los anabaptistas) quienes fueron los más renuentes en abrazar los credos como instrumentos dogmáticos de fe, no estuvieron en desacuerdo con el contenido esencial que se hallaban en los mismos. "Ellos asumieron el Credo Apostólico–lo llamaban 'La Fe,' **Der Glaube**, tal como lo hizo la mayoría de gente". Lea John Howard Yoder, Preface to Theology: Christology and Theological Method. Grand Rapids: Brazos Press, 2002. Pág. 222-223.*

3. En tradiciones eclesiásticas específicas: Los fundadores de denominaciones y órdenes religiosas

~ La Iglesia Presbiteriana, U.S.A.

Los cristianos han expresado su fe en Jesucristo a través de movimientos y tradiciones que elijen y expresan la Tradición Autoritativa y la Gran Tradición de manera única.

Tradiciones (continuación)

Por ejemplo, los movimientos católicos hicieron surgir personajes como Benedicto, Francisco, o Dominico; y los protestantes hicieron surgir personajes como Martín Lutero, Juan Calvino, Ulrich Zwingli, y Juan Wesley. Algunas mujeres fundaron movimientos vitales de la fe cristiana (por ejemplo, Aimee Semple McPherson de la Iglesia Cuadrangular); también algunas minorías (por ejemplo, Richard Allen de la Iglesia Metodista Episcopal; o Carlos H. Masón de la Iglesia de Dios en Cristo, quien ayudó al crecimiento de las Asambleas de Dios); todos ellos intentaron expresar la Tradición Autoritativa y la Gran Tradición de manera consistente, de acuerdo a su tiempo y expresión.

La aparición de movimientos vitales y dinámicos de fe, en diferentes épocas, entre diferentes personas, revela la nueva obra del Espíritu Santo a través de la historia. Por esta razón, dentro del catolicismo se han levantado nuevas comunidades como los benedictinos, franciscanos, y dominicanos; y fuera del catolicismo, han nacido denominaciones nuevas (luteranos, presbiterianos, metodistas, Iglesia de Dios en Cristo, etc.). Cada una de estas tradiciones específicas tiene "fundadores", líderes claves, de quienes su energía y visión ayudan a establecer expresiones y prácticas de la fe cristiana. Por supuesto, para ser legítimos, estos movimientos tienen que agregarse fielmente a la Tradición Autoritativa y a la Gran Tradición, y expresar su significado. Los miembros de estas tradiciones específicas, abrazan sus propias prácticas y patrones de espiritualidad; pero estas características, no necesariamente dirigen a la Iglesia en su totalidad. Ellas representan las expresiones singulares del entendimiento y la fidelidad de esa comunidad a las Grandes y Autoritativas Tradiciones.

Ciertas tradiciones buscan expresar y vivir fielmente la Gran y Autoritativa Tradición a través de su adoración, enseñanza, y servicio. Buscan comunicar el evangelio claramente, en nuevas culturas y sub-culturas, hablando y modelando la esperanza de Cristo en medio de situaciones nacidas de sus propias preguntas, a la luz de sus propias circunstancias. Estos movimientos, por lo tanto, buscan contextualizar la Tradición Autoritativa, de manera que conduzcan en forma fiel y efectiva a nuevos grupos de personas a la fe en Jesucristo; de esta manera, incorporan a los creyentes a la comunidad de la fe, la cual obedece sus enseñanzas y da testimonio de Dios a otros.

Tradiciones (continuación)

Apéndice B

Definiendo la "Gran Tradición"

La Gran Tradición (algunas veces llamada "Tradición Clásica Cristiana") es definida por Robert E. Webber de la siguiente manera:

[Es] el bosquejo amplio de las creencias y prácticas cristianas desarrolladas a través de las Escrituras, entre el tiempo de Cristo y mediados del siglo quinto.

~ Webber. **The Majestic Tapestry**.
Nashville: Thomas Nelson Publishers, 1986. Pág. 10.

Esta tradición es afirmada ampliamente por teólogos protestantes clásicos y modernos.

Por esta razón, los concilios de Nicea,[4] Constantinopla,[5] el primero de Efeso,[6] Calcedonia[7] y similares (los cuales se tuvieron para refutar errores), los adoptamos voluntariamente, y los reverenciamos como sagrados, en cuanto a su relación con las doctrinas de fe, porque lo único que contienen es la interpretación pura y genuina de la Escritura, la cual, los padres de la fe, con prudencia espiritual, adoptaron para destrozar a los enemigos de la religión [pura] que se habían levantado en esos tiempos.

~ Juan Calvino. **Institutes**. IV, ix. 8.

. . . la mayoría de los aspectos valiosos de la exégesis bíblica contemporánea, fue descubierta antes que culminara el siglo quinto.

~ Thomas C. Oden. **The Word of Life**.
San Francisco: HarperSanFrancisco, 1989. Pág. xi

Los primeros cuatro Concilios son los más importantes, pues establecieron la fe ortodoxa sobre la trinidad y la encarnación de Cristo.

~ Philip Schaff. **The Creeds of Christendom**. Vol. 1.
Grand Rapids: Baker Book House, 1996. Pág. 44.

Nuestra referencia a los concilios colectivos y los credos, por lo tanto, se enfoca en esos cuatro Concilios, los cuales retienen un amplio acuerdo de la Iglesia Católica, Ortodoxa, y Protestante. Mientras que los Católicos y Ortodoxos comparten un acuerdo común de los primeros siete concilios, los Protestantes usamos las afirmaciones solamente de los primeros cuatro; por esta razón, los concilios adoptados por toda la Iglesia fueron completados con el Concilio de Calcedonia en el año 451 D.C.

[4]*Nicea, antigua ciudad de Asia Menor, frente al lago Ascanius, la actual Iznik. Fue sede del primer concilio colectivo (año 325).*

[5]*Constantinopla, capital del imperio bizantino (actual Estambul) donde Teodosio I reunió el segundo concilio en mayo, 381, para finalizar y confirmar El Credo Niceno.*

[6]*Efeso, en el oeste de Asia Menor, donde se convocó el tercer concilio ecuménico en el año 431.*

[7]*Calcedonia, antigua ciudad de Asia Menor (Bitinia) donde en el año 451 se celebró el cuarto concilio.*

Tradiciones (continuación)

Vale notar que cada uno de estos concilios ecuménicos, se llevaron a cabo en un contexto cultural pre-europeo y ni uno se llevó a cabo en Europa. Fueron concilios de la Iglesia en su totalidad, y reflejan una época en la que el cristianismo era practicado mayormente y geográficamente por los del Este. Catalogados en esta era moderna, los participantes eran africanos, asiáticos y europeos. Estos concilios reflejaron una iglesia que " . . . tenía raíces culturales muy distintas de las europeas y precedieron al desarrollo de la identidad europea moderna, siendo [de tales raíces] algunos de sus genios más ilustres africanos". (Oden, *The Living God*, San Francisco: Harper San Francisco, 1987, pág. 9).

Quizás el logro más importante de los concilios, fue la creación de lo que es comúnmente conocido como El Credo Niceno. Sirve como una declaración sinóptica de la fe cristiana acordada por católicos, ortodoxos y cristianos protestantes.

Los primeros cuatro concilios ecuménicos, están recapitulados en el siguiente diagrama:

Nombre/Fecha/Localidad	Propósito	
Primer Concilio Ecuménico *325 D.C.* *Nicea, Asia Menor*	Defendiendo en contra de: Pregunta contestada: Acción:	*El Arrianismo* *¿Jesús era Dios?* *La forma inicial del Credo Niceno fue desarrollada, y consecuentemente, sirvió cómo resumen de la fe cristiana.*
Segundo Concilio Ecuménico *381 D.C.* *Constantinopla, Asia Menor*	Defendiendo en contra de: Pregunta contestada: Acción:	*El Macedonianismo* *¿Es el Espíritu Santo una parte personal e igual a la Deidad?* *El Credo Niceno fue finalizado, al ampliarse el artículo que trata con el Espíritu Santo.*
Tercer Concilio Ecuménico *431 D.C.* *Éfeso, Asia Menor*	Defendiendo en contra de: Pregunta contestada: Acción:	*El Nestorianismo* *¿Es Jesucristo tanto Dios como hombre en una misma persona?* *Definió a Cristo como la Palabra de Dios encarnada, y afirmó a su madre María como* **theotokos** *(portadora de Dios).*
Cuarto Concilio Ecuménico *451 D.C.* *Calcedonia, Asia Menor*	Defendiendo en contra de: Pregunta contestada: Acción:	*El Monofisismo* *¿Cómo puede Jesús ser a la vez, Dios y hombre?* *Explicó la relación entre las dos naturalezas de Jesús (humano y Divino).*

APÉNDICE 14
Lecturas sobre Cristo
Rev. Dr. Don L. Davis

¿Qué es el cristianismo sin Cristo?

El cristianismo sin Cristo es un baúl sin su tesoro, un marco sin una fotografía, un cuerpo sin vida.

~ John Stott. **Focus on Christ.**
Cleveland: William Collins Publishers, Inc., 1979.

¿De qué trata la Biblia?

¿De qué trata la Biblia? ¿Cómo puedo entender su significado? ¿Por qué hay sesenta y seis libros en la Biblia? ¿Cómo saber que se trata de la Palabra de Dios?

Todas estas preguntas se pueden responder con la palabra - Cristo.

Jesucristo es la llave tanto para la inspiración como para la interpretación de la Biblia. Además, es Cristo quien confirmó la colección de libros como completos y autoritativos.

~ Norman Geisler. **A Popular Survey of the Old Testament.**
Grand Rapids: Baker Book House, 1977. p. 11.

El final del linaje

[Mateo] es deliberadamente esquemático [por ejemplo, nos provee una mirada distinta], ya que tiene una intención teológica. Él señala que la historia del Antiguo Testamento se puede ubicar en aproximadamente tres lapsos de tiempo entre los eventos más sobresalientes:

- desde el primer pacto con Abraham hasta el establecimiento de la monarquía bajo el reinado de David;

- desde David hasta la destrucción y pérdida de la monarquía en el exilio babilónico;

- y desde el exilio hasta la venida del Mesías, siendo éste el único que podía ocupar el trono de David.

Jesús es así "la culminación del linaje" en lo que respecta a la historia del Antiguo Testamento. Por consiguiente, el A.T recorrió el camino completo para la preparación del Mesías y ahora su meta y clímax han sido alcanzados.

~ Christopher J. H. Wright. **Knowing Jesus through the Old Testament.**
Downers Grove: InterVarsity Press, 1992. pp. 6-7.

Lecturas sobre Cristo (continuación)

El centro cósmico y todosuficiente

Jesús de Nazaret continúa disfrutando de una popularidad extraordinaria. La gente está fascinada por Él, aun a pesar de ellos mismos. Muchos de los que nunca llegan al punto de confesarlo como Dios y Salvador lo respetan con profunda admiración. Es cierto, hay otros que se indignan y le rechazan. Pero una cosa que la gente no puede hacer es ignorarlo y dejarlo a un lado.

En otras religiones e ideologías, Jesús tiene un alto honor . . . como T.R. Glover escribió en *The Jesus of History (El Jesús de la historia)*: "Jesús permanece como el corazón y el alma del movimiento cristiano, controlando a hombres aún, capturando a hombres aún . . . Definitivamente, no hay figura en la historia humana que signifique más. Los hombres lo pueden amar u odiar, pero lo hacen intensamente".

. . . Jesucristo es el centro del cristianismo y por lo tanto, la fe cristiana al igual que la vida cristiana, si son genuinas, deben enfocarse en Cristo. El difunto obispo Stephen Neill, en su libro *Christian Faith and Other Faiths, (La fe cristiana y otros credos)* escribió: "El antiguo dicho 'El cristianismo es Cristo' es verdadero. La figura histórica de Jesús de Nazaret es el criterio por medio del cual se debe evaluar cada afirmación cristiana, para ver si sigue en pie o se cae".

~ John Stott. **Life in Christ**.
Grand Rapids: Baker Books, 1991. p. 7.

El magnetismo de la enseñanza de Jesús: ¿De dónde vino?

¿Por qué era Jesús un maestro tan fascinante? ¿Qué causaba que estas grandes multitudes lo siguieran? Como respuesta, uno podría decir que lo que Jesús decía era lo que atraía a las multitudes. Con Jesús, la voz profética había vuelto otra vez a Israel después de 400 años. En el ministerio de Jesús, el Espíritu de Dios estaba nuevamente activo en Israel (compárelo con Mt. 12.28; Lc. 4.16-21). Dios una vez más estaba visitando a su pueblo y proclamando su voluntad. Una razón por la cual la gente venía a escuchar a Jesús era que muchos estaban convencidos que Dios estaba hablando a través de Jesús de Nazaret y lo que Él estaba diciendo era en efecto la Palabra de Dios (Lc. 5.1; 11.28; Mc. 4.14-20).

Sin duda, un factor adicional que entra en el cuadro involucra la personalidad de Jesús, pues la personalidad de Jesús le dio vida y dinamismo a su mensaje. Fue la Palabra hecha carne (Juan 1.14) el medio a través del cual y por el cual vino la Palabra de Dios. La gente disfrutaba escuchar a Jesús por la clase de persona que Él era. Los publicanos, los

Lecturas sobre Cristo (continuación)

pecadores, los niños, las multitudes – todos encontraban en Jesús a alguien cuya presencia era disfrutable. Por tanto no sólo era lo *que* enseñaba sino también *quién* era lo que atraía a las multitudes a escucharlo . . . El *qué* de su mensaje y el *quién*, por ejemplo, la "personalidad" y "autoridad" del mensajero, todo formaba parte para presentar a Jesús como un emocionante maestro.

~ Robert H. Stein. **The Method and Message of Jesus' Teachings**. Philadelphia: The Westminster Press, 1978. pp.7-8.

El desafío de las historias bíblicas

John Dominic Crossan

John Dominic Crossan es miembro original y primer asistente del Seminario Jesús como también presidente de la Sección Histórica de Jesús de la Sociedad de Literatura Bíblica. Obtuvo un doctorado en divinidad en el Colegio Maynooth, en Irlanda. Sus estudios post doctorado se han enfocado en estudios bíblicos en el Instituto Bíblico Pontificio, en Roma, y en la investigación arqueológica en el Ecole Biblique, Jerusalem. Crossan ha enseñado en varios seminarios en el área de Chicago, siendo profesor de estudios religiosos en la Universidad DePaul por veintiséis años. Ha escrito más de una docena de libros sobre el Jesús histórico.

Los Evangelios son normativos para nosotros como cristianos, no sólo en su producción, es decir, en lo que han provocado, sino en el modo en que fueron escritos. Un evangelio regresa a los años veinte. El mismo escribe sobre Jesús a partir de la década del 20 hasta la década del 70, 80 y 90. Un evangelio siempre toma al Jesús histórico y lo dispone junto con el Cristo que creemos. Juan vuelve a escribir los años 20 como Marcos lo había hecho antes de él. El Jesús histórico sigue siendo algo crucial para el cristianismo, porque en cada generación de la Iglesia debemos rehacer el trabajo histórico y el teológico. No podemos eludirlo.

Cuando estoy frente a frente con un amigo budista, no puedo mirarlo y decirle con integridad: "nuestra historia sobre el nacimiento virginal de Jesús es verdadera y está basada en hechos. Tu historia que dice que Buda salió del vientre de su madre y ya caminaba, hablaba, enseñaba, y predicaba (debo admitir que es aún mejor que nuestra historia) - es un mito. Tenemos la verdad; tú crees una mentira".

No pienso que esto se pueda seguir diciendo, ya que insistir que nuestra fe es un hecho y que la fe de los otros es una mentira, es, pienso, un cáncer que carcome el corazón del cristianismo.

~ William F. Buckley, Jr. **Will the Real Jesus Please Stand Up?** Paul Copan, ed. Grand Rapids: Baker Books, 1998. p. 39.

Lecturas sobre Cristo (continuación)

Christus Victor: El Guerrero Mesías

> Salmo 68.18 - Subiste a lo alto, cautivaste la cautividad, tomaste dones para los hombres, y también para los rebeldes, para que habite entre ellos JAH Dios.

> Salmo 110.1-2 - Jehová dijo a mi Señor: Siéntate a mi diestra, hasta que ponga a tus enemigos por estrado de tus pies. Jehová enviará desde Sion la vara de tu poder; domina en medio de tus enemigos.

[*Christus Victor*] el tema central es la idea de la expiación como un conflicto y una victoria divinos; Cristo –*Christus Victor*– pelea y triunfa sobre los poderes malignos del mundo, 'el tirano' bajo el cual la humanidad está en esclavitud y sufrimiento, y en él Dios reconcilia al mundo para él… El trasfondo de la idea es dualista; Dios es representado en Cristo, como Aquel que obtiene la victoria en el conflicto contra los poderes del mal, los cuales son hostiles a su voluntad. En esto consiste la expiación, porque el drama es un drama cósmico, y la victoria sobre los poderes traspasan una nueva relación, una relación de reconciliación, entre Dios y el mundo; y todavía más, porque en cierta medida los poderes hostiles son considerados como un servicio a la voluntad de Dios, el Juez de todos, y los ejecutores de su juicio. Desde este punto de vista, el triunfo sobre los poderes contrarios es considerado como la reconciliación de Dios mismo; se reconcilia por el propio acto en el cual reconcilia al mundo para consigo.

~ Gustaf Aulen, **Christus Victor**.
New York: MacMillan Publishers, 1969. pp. 20-21.

El mismo Mesías resucitado es nuestra vida

> Col. 3.1-4 - Si, pues, habéis resucitado con Cristo, buscad las cosas de arriba, donde está Cristo sentado a la diestra de Dios. Poned la mira en las cosas de arriba, no en las de la tierra. Porque habéis muerto, y vuestra vida está escondida con Cristo en Dios. Cuando Cristo, vuestra vida, se manifieste, entonces vosotros también seréis manifestados con él en gloria.

Debemos tener presente que en vez de darnos un objeto después del otro, Dios nos da a su Hijo. Por esta razón, siempre podemos levantar nuestros corazones y mirar al Señor, diciendo, "Señor, tú eres mi camino; Señor, tú eres mi verdad; Señor, tú eres mi vida. Eres tú Señor, quien está relacionado conmigo, no tus cosas". Pidámosle a Dios que nos dé gracia, que podamos ver a Cristo en todas las cosas espirituales. Día a día estamos convencidos que fuera de Cristo no hay camino, ni verdad, ni vida. ¡Con qué facilidad decimos que algunas cosas son el camino, la verdad, y la vida! A veces denominamos un ambiente cálido como vida, o decimos que la vida es poder pensar con claridad. Consideramos las emociones fuertes o la conducta externa como la vida. Sin embargo, no son la vida. Deberíamos darnos cuenta que sólo el Señor es la vida, Cristo es nuestra vida. Y es el Señor que vive esta vida en nosotros. Pidámosle que nos libre de muchos asuntos externos y fragmentarios, que podamos tocarlo sólo a Él. Que podamos ver al Señor en todas las cosas - el camino, la verdad, y la vida están en conocerle a Él. Que podamos realmente encontrar al Hijo de Dios y dejarle vivir en nosotros. Amén.

~ Watchman Nee. **Christ, the Sum of All Spiritual Things**.
New York: Christian Fellowship Publishers, 1973. p. 20.

APÉNDICE 15
Re-presentando al Mesías
Rev. Dr. Don L. Davis

"Gentilización" de expresiones modernas de la fe cristiana
Contextualización: libertad en Cristo para enculturar el evangelio
Representación moderna común de la esperanza mesiánica como fe gentil
Tendencia de la tradición/cultura de usurpar la autoridad bíblica
Eclipse presente del marco bíblico por los "cautivados"

Fuego extraño en el altar: ejemplos de cautivados por lo socio-cultural

Nacionalismo — Existencialismo personal
Capitalismo — Ascetismo/moralismo
Racionalismo científico — Etnocentrismo
Denominacionalismo — Vida nuclear de familia

Crítica de Jesús al cautiverio socio-cultural
Atadura a la tradición religiosa, Mat. 15.3-9
Ignorancia de las Escrituras y el poder de Dios, Mat. 22.29
Esfuerzo celoso sin conocimiento, Rom. 10.1-3

Hábitos hermenéuticos que llevan a la fe sincretista
Escoger textos selectivamente
Tradición vista como el canon
Lecturas de textos culturales
Predicar y enseñar basados en la exégesis y la audiencia
Evitar la autocrítica de nuestra doctrina y práctica
Apologética de la identidad socio-cultural

"Parálisis paradigmático" y fe bíblica
Ceguera frente a las propias limitaciones históricas
Ventajas y perspectivas limitadas
Privilegio y poder: Manipulación política
Incapacidad de recibir críticas o evaluaciones
Persecución de las perspectivas opuestas y de las nuevas interpretaciones de la fe

Redescubrir las raíces hebreas de la esperanza bíblica mesiánica (regreso)

Redescubrir los orígenes judíos de la fe bíblica, Juan 4.22

Yahweh como el Dios bondadoso fiel a su pacto

Cumplimiento mesiánico en el AT: profecía, tipo, historia, ceremonia y símbolo

Raíces hebraicas de la Promesa: Yahweh como Dios Guerrero

El pueblo de Israel como la comunidad mesiánica de esperanza

Salmos y profetas enfatizan el gobierno divino del Mesías

Rastreando la simiente
Simiente de la mujer, Gén. 3.15
Simiente de Sem, Gén. 9.26-27
Simiente de Abraham, Gén. 12.3
Simiente de Isaac y Jacob, Gén. 26.2-5; 28.10-15
Simiente de Judá, Gén. 49.10
Simiente de David, 2 Sam. 7

El Siervo Sufriente de Yahweh: humillación y humildad del rey davídico de Dios

Vislumbre de la salvación de los gentiles y la transformación global

Presentar nuevamente al Mesías Yeshúa con pasión y claridad
con fidelidad a la Escritura y en sincronización con la ortodoxia histórica sin distorsión cultural sin inclinación teológica

Reconocer la capacidad socio-cultural de la profesión Cristiana (Exilio)

Vivir la aventura del misterio apocalíptico (posesión)

Apocalíptico como la "lengua madre y lenguaje nativo" de los apóstoles y la iglesia primitiva como una comunidad escatológica

Mesías Yeshúa como el Guerrero Cósmico: Yahweh como Dios que gana la victoria final sobre sus enemigos

El Mesías Yeshúa como el Ungido y el que ata al hombre fuerte: la edad mesiánica venidera inaugurada con Jesús de Nazaret

Reino orientado a "El YA pero Todavía NO": El reinado de Dios manifestado pero aún no consumado

La evidencia y garantía de la edad venidera: El Espíritu como el depósito, los primeros frutos y el sello de Dios

APÉNDICE 16

Profecías mesiánicas citadas en el Nuevo Testamento

Rev. Dr. Don L. Davis

	Cita NT	Referencia AT	Indicación del cumplimiento de la profecía mesiánica
1	Mat. 1.23	Isa. 7.14	El nacimiento virginal de Jesús de Nazaret
2	Mat. 2.6	Miq. 5.2	El nacimiento del Mesías en Belén
3	Mat. 2.15	Ose. 11.1	Que Jehová llamaría al Mesías de Egipto, el segundo Israel
4	Mat. 2.18	Jer. 31.15	Raquel llora por sus hijos asesinados por Herodes buscando destruir la simiente mesiánica
5	Mat. 3.3	Isa. 40.3	La predicación de Juan el Bautista cumple su papel de predecesor mesiánico según Isaías
6	Mat. 4.15-16	Isa. 9.1-2	El ministerio Galileo de Jesús cumple la profecía de Isaías sobre la luz del Mesías a los gentiles
7	Mat. 8.17	Isa. 53.4	El ministerio sanador de Jesús cumple la profecía de Isaías referente al poder del Mesías de sanar y echar fuera demonios
8	Mat. 11.14-15	Isa. 35.5-6; 61.1	El ministerio de sanidad de Jesús confirma su identidad como el Mesías ungido de Jehová
9	Mat. 11.10	Mal. 3.1	Jesús confirma la identidad de Juan el Bautista como el mensajero de Jehová según Malaquías
10	Mat. 12.18-21	Isa. 42.1-4	El ministerio de sanidad de Jesús cumple la profecía de Isaías de la compasión del Mesías por los débiles
11	Mat. 12.40	Juan. 1.17	Como Jonás estuvo tres días y noches en el vientre del monstruo marino, así Jesús estaría en la tierra
12	Mat. 13.14-15	Isa. 6.9-10	La negligencia espiritual de la audiencia de Jesús
13	Mat. 13.35	Sal. 78.2	El Mesías enseñaría en parábolas a la gente
14	Mat. 15.8-9	Isa. 29.13	La naturaleza hipócrita de la audiencia de Jesús
15	Mat. 21.5	Zac. 9.9	La entrada triunfal del Mesías el Rey a Jerusalén sobre un asno
16	Mat. 21.9	Sal. 118.26-27	Hosana al Rey de Jerusalén
17	Mat. 21.16	Sal. 8.2	De la boca de los niños Jehová declara salvación
18	Mat. 21.42	Sal. 118.22	La piedra que los edificadores rechazaron ha llegado a ser la piedra angular
19	Mat. 23.39	Sal. 110.1	El entronamiento de Jehová el Señor

Profecías mesiánicas citadas en el Nuevo Testamento (continuación)

	Cita NT	Referencia AT	Indicación del cumplimiento de la profecía mesiánica
20	Mat. 24.30	Dan. 7.13	El Hijo del Hombre que vendría según la profecía de Daniel, no es otro sino Jesús de Nazaret
21	Mat. 26.31	Zac. 13.7	El Pastor es herido por Jehová y las ovejas se esparcen
22	Mat. 26.64	Sal. 110.1	Jesús de Nazaret es el cumplimiento del Hijo del Hombre Mesiánico de Daniel
23	Mat. 26.64	Dan. 7.3	Jesús vendrá en las nubes del cielo como el gobernante exaltado de Daniel
24	Mat. 27.9-10	Zac. 11.12-13	El Mesías es traicionado por treinta piezas de plata
25	Mat. 27.34-35	Sal. 69.21	El ungido de Dios recibe vino mezclado con hiel
26	Mat. 27.43	Sal. 22.18	Los soldados echan suertes por las prendas del Mesías
27	Mat. 27.43	Sal. 22.8	El Mesías recibe burla y escarnio estando en la cruz
28	Mat. 27.46	Sal. 22.1	El Mesías es abandonado por Dios por causa de otros
29	Mar. 1.2	Mal. 3.1	Juan el Bautista es el cumplimiento de la profecía con relación al mensajero del Señor
30	Mar. 1.3	Isa. 40.3	Juan el Bautista es la voz llamando en el desierto para preparar el camino del Señor
31	Mar. 4.12	Isa. 6.9	La negligencia espiritual de la audiencia en relación al mensaje del Mesías
32	Mar. 7.6	Isa. 29.13	La hipocresía de la audiencia en su respuesta al Mesías
33	Mar. 11.9	Sal. 118.25	Las hosanas dadas en la entrada al Mesías como Rey en Jerusalén
34	Mar. 12.10-11	Sal. 118.25	La piedra que los edificadores rechazaron ha llegado a ser la principal piedra angular
35	Mar. 12.36	Sal. 110.1	El Señor entrona al Señor de David sobre su trono en Sion
36	Mar. 13.26	Dan. 7.13	Jesús es el profetizado Hijo del Hombre quien regresará en gloria en las nubes
37	Mar. 14.27	Zac. 13.7	Jesús será abandonado por los suyos, porque el pastor será herido y las ovejas serán dispersas
38	Mar. 14.62	Dan. 7.13	Jesús es el Mesías, el Hijo del Hombre de la visión de Daniel
39	Mar. 14.62	Sal. 110.1	El Hijo del Hombre, Jesús, vendrá de la diestra de Jehová
40	Mar. 15.24	Sal. 22.18	Echan suertes sobre las prendas del Mesías durante su pasión
41	Mar. 15.34	Sal. 22.1	El Mesías es abandonado por Dios a favor de la redención del mundo

Profecías mesiánicas citadas en el Nuevo Testamento (continuación)

	Cita NT	Referencia AT	Indicación del cumplimiento de la profecía mesiánica
42	Luc. 1.17	Mal. 4.6	Juan el Bautista vendrá en el poder y espíritu de Elías
43	Luc. 1.76	Mal. 3.1	Juan va antes del Señor para preparar el camino
44	Luc. 1.79	Isa. 9.1-2	El Mesías dará luz a aquellos que habitan en oscuridad
45	Luc. 2.32	Isa. 42.6; 49.6	El Mesías será luz a los Gentiles
46	Luc. 3.4-5	Isa. 40.3	Juan es la voz de Isaías que clama en el desierto para preparar el camino del Señor
47	Luc. 4.18-19	Isa. 61.1-2	Jesús es el siervo de Jehová, ungido por su Espíritu para traer las buenas nuevas del Reino
48	Luc. 7.27	Mal. 3.1	Jesús confirma la identidad de Juan como el que prepara el camino del Señor
49	Luc. 8.10	Isa. 6.9	La negligencia de la audiencia de Jesús el Mesías
50	Luc. 19.38	Sal. 118.26	Jesús, en su entrada a Jerusalén, cumple la profecía mesiánica del Rey de Israel
51	Luc. 20.17	Sal. 118.26	Jesús es la piedra de Jehová que los edificadores rechazaron, la cual ha venido a ser la piedra angular
52	Luc. 20.42-43	Sal. 110.1	David llama a su señor el Mesías y Señor, quien es entronado en Sion por Jehová
53	Luc. 22.37	Isa. 53.12	El Mesías es clasificado entre criminales
54	Luc. 22.69	Sal. 110.1	Jesús regresará de la diestra de Dios, de donde él ha sido entronado
55	Luc. 23.34	Sal. 22.18	Echan suertes sobre las prendas del Mesías
56	Juan 1.23	Isa. 40.3	La predicación de Juan es el cumplimiento de la profecía de Isaías sobre el predecesor del Mesías
57	Juan 2.17	Sal. 69.17	El celo por la casa del Señor va a consumir al Mesías
58	Juan 6.45	Isa. 54.13	Todos aquellos a quien Dios enseña vendrán al Mesías
59	Juan 7.42	Sal. 89.4; Miq. 5.2	El Mesías, la simiente de David, vendrá de Belén
60	Juan 12.13	Sal. 118.25-26	Dan hosanas al triunfante Rey Mesías de Israel
61	Juan 12.15	Zac. 9.9	El Rey de Israel entra a Jerusalén sobre un pollino
62	Juan 12.38	Isa. 53.1	Como profetizó Isaías, pocos creyeron el reporte de Jehová sobre su ungido
63	Juan 12.40	Isa. 6.10	Isaías vio la gloria del Mesías y habló sobre la negligencia de su audiencia

Profecías mesiánicas citadas en el Nuevo Testamento (continuación)

	Cita NT	Referencia AT	Indicación del cumplimiento de la profecía mesiánica
64	Juan13.18; comparar 17.12	Sal. 41.9	La traición del Mesías por uno de sus íntimos seguidores
65	Juan 15.25	Sal. 35.19; 69.4	El Mesías será odiado sin causa
66	Juan 19.24	Sal. 22.18	Las prendas del Mesías serían divididas
67	Juan 19.28	Sal. 69.21	Al Mesías le ofrecerían vino sobre la cruz
68	Juan 19.36	Éxo. 12.46; Nah. 9.12; Sal. 34.20	Ningún hueso del Mesías sería quebrantado
69	Juan 19.37	Zac. 12.10	La nación arrepentida de Israel mirará a aquel a quien traspasaron
70	Hch. 1.20	Sal. 69.25; 109.8	Judas sería reemplazado con otro
71	Hch. 2.16-21	Joel 2.28-32	El Espíritu será derramado sobre toda carne en los últimos días
72	Hch. 2.25-28	Sal. 16.8-11	El Mesías no padecerá descomposición ni corrupción en el Seol
73	Hch. 2.34-35	Sal. 110.1	El Mesías es entronado a la diestra de Jehová hasta que sus enemigos sean destruídos
74	Hch. 3.22-23	Deut. 18.15, 19	Dios levantaría un profeta como Moisés para el pueblo
75	Hch. 3.25	Gén. 22.18	Todas las naciones de la tierra serían benditas en la simiente de Abraham
76	Hch. 4.11	Sal. 118.22	Jesús el Mesías es la piedra rechazada a quien Dios hizo la piedra angular
77	Hch. 4.25	Sal. 2.1	Jehová se reirá de la oposición de las naciones hacia él y su ungido
78	Hch. 7.37	Deut. 18.15	Jehová dará a Israel un profeta como Moisés
79	Hch. 8.32-33	Isa. 53.7-9	Jesús el Mesías es el Siervo Sufriente de Jehová
80	Hch. 13.33	Sal. 2.7	Dios ha cumplido la promesa a Israel en Jesús levantándolo de los muertos
81	Hch. 13.34	Isa. 53.3	Jesús el Mesías es el cumplimiento de las misericordias seguras de David
82	Hch. 13.35	Sal. 16.10	El Mesías no padecería corrupción en la tumba
83	Hch. 13.47	Isa. 49.6	A través de Pablo, el mensaje del Mesías viene a ser una luz a las naciones
84	Hch. 15.16-18	Amós 9.11-12	La dinastía de David es restaurada en Jesús, y los Gentiles son bienvenidos en el Reino
85	Rom 9.25-26	Ose. 2.23; 1.10	Los Gentiles son bienvenidos al pueblo de Dios

Profecías mesiánicas citadas en el Nuevo Testamento (continuación)

	Cita NT	Referencia AT	Indicación del cumplimiento de la profecía mesiánica
86	Rom 9.33; 10.11	Isa. 28.16	El Mesías es una piedra de tropiezo a aquellos que rechazan la salvación de Dios
87	Rom 10.13	Joel 2.32	Cualquiera que invocare el nombre del Señor será salvo
88	Rom 11.8	Isa. 29.10	Israel a través de la incredulidad ha sido endurecido hacia el Mesías
89	Rom 11.9-10	Sal. 69.22-23	El juicio se ha endurecido sobre Israel
90	Rom 11.26	Isa. 59.20-21	Un libertador vendrá de Sion
91	Rom 11.27	Isa. 27.9	Perdón de pecados será dado por medio de un nuevo pacto
92	Rom 14.11	Isa. 45.23	Todos serán finalmente juzgados por Jehová
93	Rom 15.9	Sal. 18.49	Los Gentiles alaban a Dios por medio de la fe en el Mesías
94	Rom 15.10	Deut. 32.43	Dios recibe alabanza de las naciones
95	Rom 15.11	Sal. 117.1	Los pueblos de la tierra le dan gloria a Dios
96	Rom 15.12	Isa. 11.10	Los Gentiles tendrán esperanza en la raíz de Isaí
97	Rom 15.21	Isa. 52.15	Las Buenas Nuevas serán predicadas a aquellos sin entendimiento
98	1 Cor. 15.27	Sal. 8.7	Todas las cosas están bajo los pies de la cabeza representativa de Dios
99	1 Cor. 15.54	Isa. 25.8	La muerte será sorbida en victoria
100	1 Cor. 15.55	Ose. 13.14	La muerte un día perderá su aguijón
101	2 Cor. 6.2	Isa. 49.8	Ahora es el día de salvación por medio de la fe en Jesús el Mesías
102	2 Cor. 6.16	Ezeq. 37.27	Dios habitará con su gente
103	2 Cor. 6.18	Ose. 1.10; Isa 43.6	Los creyentes en Jesús el Mesías son hijos e hijas de Dios
104	Gál. 3.8, 16	Gén. 12.3; 13.15; 17.8	Las Escrituras que prevén la justificación de los Gentiles por la fe predicaron el evangelio de antemano por la promesa a Abraham que todas las naciones serían benditas en su simiente
105	Gál. 4.27	Isa. 54.1	Jerusalén es la madre de todos nosotros
106	Efe. 2.17	Isa. 57.19	La paz de Jesús el Mesías es predicada tanto a Judíos como a Gentiles
107	Efe. 4.8	Sal. 68.18	El Mesías en su ascensión ha conquistado y nos ha dado dones a todos nosotros por su gracia
108	Efe. 5.14	Isa. 26.19; 51.17; 52.1; 60.1	La regeneración del Señor ha sucedido; su luz ha brillado sobre nosotros

Profecías mesiánicas citadas en el Nuevo Testamento (continuación)

	Cita NT	Referencia AT	Indicación del cumplimiento de la profecía mesiánica
109	Heb. 1.5	Sal. 2.7	El Mesías es el Hijo de Dios
110	Heb. 1.5	2 Sam. 7.14	Jesús el Mesías es el ungido Hijo de Dios
111	Heb. 1.6	Deut. 32.43	Los ángeles adoraron al Mesías cuando él entro al mundo
112	Heb. 1.8-9	Sal. 45.6-7	Se habla en forma directa de Jesús el Mesías como si fuera Jehová Dios
113	Heb. 1.10-12	Sal. 102.25-27	El Hijo es el agente de la creación de Dios y es eterno
114	Heb. 1.13	Sal. 110.1	Jesús el Mesías es entronado a la diestra del Padre
115	Heb. 2.6-8	Sal. 8.4-6	Todas las cosas han sido sujetas a la autoridad del Hijo
116	Heb. 2.12	Sal. 22.22	Jesús el Mesías es un hermano para todos los redimidos
117	Heb. 2.13	Isa. 8.17-18	El Mesías pone su confianza en Jehová Dios
118	Heb. 5.5	Sal. 2.7	El Mesías es el Hijo de Dios
119	Heb. 5.6	Sal. 110.4	El Mesías es un sacerdote eternal después del orden de Melquisedec
120	Heb. 7.17, 21	Sal. 110.4	Jesús el Mesías es un Sumo Sacerdote eterno
121	Heb. 8.8-12	Jer. 31.31-34	Un nuevo pacto se ha hecho en la sangre de Jesús
122	Heb. 10.5-9	Sal. 40.6	La muerte del Mesías Jesús substituye el sistema del sacrificio del templo.
123	Heb. 10.13	Sal. 110.1	Jehová ha entronado al Mesías Jesús como Señor
124	Heb. 10.16-17	Jer. 31.33-34	El Espíritu Santo testifica de la suficiencia del Nuevo Pacto
125	Heb. 10.37-38	Hab. 2.3-4	El que vendrá, lo hará así, en un poco de tiempo
126	Heb. 12.26	Hag. 2.6	Todo el cielo y la tierra serán sacudidos
127	1 Pe. 2.6	Isa. 28.16	Dios pone una piedra angular en Sión
128	1 Pe. 2.7	Ps. 118.22	La piedra que los constructores rechazaron, Dios la ha hecho la piedra angular
129	1 Pe. 2.8	Isa. 8.14	El Mesías es una piedra de tropiezo para los que no creen
130	1 Pe. 2.10	Ose. 1.10; 2.23	A través del Mesías, ahora los gentiles son invitados para formar parte del pueblo de Dios
131	1 Pe. 2.22	Isa. 53.9	El Mesías Jesús, sin pecado, fue sacrificado para nosotros

APÉNDICE 17

La visión profética como fuente de compromiso de fe bíblica

Rev. Dr. Don L. Davis

La fe es parte esencial de la vida humana. Los seres humanos confesamos, creemos y confiamos en las criaturas. *Y donde pongamos nuestra fe determina la percepción del mundo que adoptaremos. Puesta de otra manera, nuestro máximo compromiso de fe pone los marcos para nuestra perspectiva mundial.* Esto forma nuestra visión para un estilo de vida. La gente que duda de su percepción mundial es sacudida y siente que no tiene ningún fundamento para estar firme en ello. Ellos están a menudo en las convulsiones de una crísis psicológica. *Pero la crísis emocional es fundamentalmente religiosa porque nuestra percepción del mundo descansa en un compromiso de fe.*

¿Qué es un compromiso de fe? Es la forma en la que contestamos cuatro preguntas básicas que todos enfrentamos:

1) *¿Quién soy?* O, ¿cuál es la naturaleza, la tarea y el propósito de los seres humanos?

2) *¿Dónde estoy?* O, ¿cuál es la naturaleza del mundo y universo en el que vivo?

3) *¿Qué está mal?* O, ¿cuál es el problema básico u obstáculo que me detiene de lograr el cumplimiento? En otras palabras ¿cómo entiendo el mal?

4) *¿Cuál es el remedio?* O, ¿cómo es posible vencer este impedimento a mi cumplimiento? En otras palabras, ¿cómo encuentro la salvación?

Cuando hayamos contestado estas preguntas, eso es, cuando nuestra fe este afirmada, entonces empezamos a mirar la realidad en un modelo razonable. *De nuestra fe procede una percepción del mundo, que sin vida humana simplemente no puede continuar.*

~ Brian J. Walsh and J. Richard Middleton. **The Transforming Vision**.
Downers Grove: InterVarsity Press, 1984. p. 35.

Predicar y enseñar a Jesús de Nazaret como Mesías y Señor

El corazón de todo ministerio bíblico

Rev. Dr. Don L. Davis

Fil. 3.8 (RV) - Y ciertamente, aun estimo todas las cosas como pérdida por la excelencia del *conocimiento de Cristo [Mesías] Jesús, mi Señor,* por amor del cual lo he perdido todo, y lo tengo por basura, para *ganar a Cristo* [Mesías].

Hch. 5.42 (RV) - Y todos los días, en el templo y por las casas, *no cesaban de enseñar y predicar a Jesucristo [Mesías].*

1 Cor. 1.23 (RV) - pero nosotros predicamos a *Cristo [Mesías] crucificado,* para los judíos ciertamente tropezadero, para los gentiles locura.

2 Cor. 4.5 (RV) - Porque no nos predicamos a nosotros mismos, sino a *Jesucristo [Mesías] como Señor,* y a nosotros como vuestros siervos por amor de Jesús.

1 Cor. 2.2 (RV) - Pues me propuse no saber entre vosotros cosa alguna sino a *Jesucristo [Mesías], y a éste crucificado.*

Efe. 3.8 (RV) - A mi, que soy menos que el más pequeño de todos los santos, me fue dada esta gracia *de anunciar entre los gentiles el evangelio de las inescrutables riquezas de Cristo [Mesías].*

Fil. 1.18 (RV) - ¿Qué, pues? Que no obstante, de todas maneras, o por pretexto o por verdad, *Cristo [Mesías] es anunciado;* y en esto me gozo, y me gozaré aún.

Col. 1.27-29 (RV) - a quienes Dios quiso dar a conocer las riquezas de la gloria de este misterio entre los gentiles; que es *Cristo [Mesías] en vosotros, la esperanza de gloria,* [28] a quien anunciamos, amonestando a todo hombre, y enseñando a todo hombre en toda sabiduría, a fin de *presentar perfecto en Cristo [Mesías] Jesús a todo hombre;* [29]*para lo cual también trabajo, luchando según la potencia de él,* la cual actúa poderosamente en mi.

APÉNDICE 19

Resumen de interpretaciones mesiánicas en el Antiguo Testamento

Rev. Dr. Don L. Davis, adaptado de James Smith, The Promised Messiah

Leyenda

IJT - Interpretación Judía Temprana   ANT - Alusión del Nuevo Testamento

ENT - Exégesis del Nuevo Testamento   PI - Padres de la Iglesia

	Referencia bíblica	Resumen de la profecía mesiánica	IJT	ANT	ENT	PI
1	Gén. 3.15	Uno de la línea de la simiente de la mujer le aplastará la cabeza a la serpiente	X	X		X
2	Gén. 9.25-27	Dios vendrá y habitará en las tiendas de Sem	X	X		X
3	Gén. 12.3; 18.18; 22.18; 26.4; 28.14	Todas las naciones de la tierra serán bendecidas a través de la simiente de Abraham, Isaac y Jacob	X	X	X	X
4	Gén. 49.10-11	El cetro no será quitado de Judá hasta que venga Siloh y todas las naciones serán obedientes a él	X	X		X
5	Nah. 24.16-24	Un poderoso gobernante de Israel vendrá y aplastará a los enemigos del pueblo de Dios	X	X		X
6	Deut. 18.15-18	Un profeta como Moisés vendrá y todos los justos le escucharán		X	X	X
7	Deut. 32.43	Los ángeles de Dios ordenaron regocijarse al venir al mundo el Primogénito de Dios		X		
8	1 Sam. 2.10	Dios va a juzgar los fines de la tierra pero dará fuerza a su ungido	X			X
9	1 Sam. 2.35-36	Un Sacerdote fiel vendrá y dispensará bendiciones sobre la gente				
10	2 Sam. 7.12-16	La Simiente de David se sentará sobre un trono eterno y edificará la casa de Dios		X		X
11	Sal. 89	El pacto de Dios de enviar al Mesías a través de David no puede ser revocado	X			
12	Sal. 132	Dios ha escogido a David y a Sion		X		
13	Sal. 8	El Hijo del Hombre es hecho un poco menor que los ángeles y es exaltado como gobernante sobre toda la creación		X	X	X
14	Sal. 40	El Mesías ofrece venir al mundo a sufrir y es entregado			X	X

Resumen de interpretaciones mesiánicas en el Antiguo Testamento (continuación)

	Referencia bíblica	Resumen de la profecía mesiánica	IJT	ANT	ENT	PI
15	Sal. 118	El Mesías sobrevive el poder de la muerte para ser la Piedra angular principal, la Piedra angular del edificio de Dios			X	X
16	Sal. 78.1-2	El Mesías le hablará a la gente en parábolas			X	
17	Sal. 69	El celo del Mesías por la casa de Dios traerá odio y abuso, pero sus enemigos recibirán su justo pago			X	X
18	Sal. 109	El que traiciona al Mesías sufrirá una muerte terrible			X	X
19	Sal. 22	Después de un sufrimiento sin igual, el Mesías conquista la muerte y se regocija con sus hermanos			X	X
20	Sal. 2	El Mesías está entronado en Sión, derrota su oposición, y gobierna sobre la creación	X		X	X
21	Sal. 16	Jehová no permitirá que el Mesías vea corrupción en el Seol			X	X
22	Sal. 102	El Mesías Creador es eterno, aunque sufrió persecusión severa				X
23	Sal. 45	El Mesías es Dios, y ha sido ungido por Dios para sentarse sobre un trono eterno; su pueblo es su hermosa esposa	X			X
24	Sal. 110	El Mesías es un sacerdote-rey después del orden de Melquisedec, y se sienta a la diestra de Dios, gobernando sobre toda la humanidad	X		X	X
25	Sal. 72	El Mesías reina sobre un reino de bendición universal y justo	X			X
26	Sal. 68	El Mesías gana una gran victoria, después asciende nuevamente a lo alto	X		X	X
27	Job 9.33; 16.19-21; 17.3; 33.23-28	Un Mediador, Intérprete, Abogado, y Testigo, caminará sobre la tierra en los últimos días				
28	Job 19.23-27	Un Redentor se parará sobre la tierra en los últimos días y los justos lo verán				X
29	Joel 2.23	Un Maravilloso Maestro se levantará y se introducirá en una era de gran abundancia	X			X
30	Ose. 1.10-2.1	Un Segundo Moisés guiará al pueblo de Dios fuera de la esclavitud a una nueva era			X	
31	Ose. 3.5	Después del exilio, el pueblo de Dios servirá a Jehová su Dios y David su rey	X			
32	Ose. 11.1	Dios llama a su Hijo, el Segundo Israel, fuera de Egipto			X	

Resumen de interpretaciones mesiánicasen el Antiguo Testamento (continuación)

	Referencia bíblica	Resumen de la profecía mesiánica	IJT	ANT	ENT	PI
33	Isa. 4.2-6	El hermoso y glorioso Renuevo de Jehová será el orgullo del remanente de Israel	X			
34	Isa. 7.14-15	Una virgen concebirá y dará a luz un Hijo que se llamará Emanuel			X	X
35	Isa. 8.17-18	El Mesías espera el tiempo de su venida, él y sus hijos son señales y maravillas en Israel		X	X	
36	Isa. 9.1-7	El Mesías traerá luz a Galilea y uno se sentará en el trono de David para compartir en el reino de Dios en juicio y justicia	X	X		X
37	Isa. 11.1-16	Un Renuevo de la raíz de Isaí será lleno con el Espíritu de Jehová, e introducirá a la tierra un Reino de Justicia y paz	X	X	X	X
38	Isa. 16.5	Gente pisoteada buscará la casa de David esperando justicia y misericordia				
39	Isa. 28.16	Dios pondrá en Sion una piedra probada, una hermosa Piedra angular	X	X	X	X
40	Isa. 30.19-26	El pueblo de Dios mirará a su Maestro divino y disfrutará su bendición abundante como resultado de escucharlo a él	X			
41	Isa. 32.1-2	Un líder futuro será un refugio de la tormenta, como agua en lugar seco				
42	Isa. 33.17	Los ojos del pueblo de Dios mirarán al Rey en su hermosura				
43	Isa. 42.17	El Siervo de Jehová traerá justicia a las naciones, y será un pacto a su pueblo, una luz a las naciones	X		X	X
44	Isa. 49.1-13	El Siervo de Jehová es elegido para enseñar, levantar las tribus de Jacob y ser Luz a los Gentiles	X			X
45	Isa. 50.4-11	El Siervo de Jehová es un discípulo obediente que soporta sufrimiento e indignidad				X
46	Isa. 52.13-53.12	El Siervo de Dios es rechazado, sufre horriblemente por el pecado de otros, muere, pero después mira su simiente y está satisfecho	X	X	X	X
47	Isa. 55.3-5	Un Hijo de David será Testigo, Líder, y Jefe a los pueblos				X
48	Isa. 59.20-21	Un Redentor vendrá al penitente Sion	X		X	

Resumen de interpretaciones mesiánicas en el Antiguo Testamento (continuación)

	Referencia bíblica	Resumen de la profecía mesiánica	IJT	ANT	ENT	PI
49	Isa. 61.1-11	El Mesías ha sido ungido por el Espíritu de Jehová para proclamar las Buenas Nuevas a los pobres, y liberación a los cautivos	X		X	X
50	Miq. 2.12-13	El divino Liberador guiará al pueblo de Dios fuera de la esclavitud	X			
51	Miq. 5.1-5	Un glorioso Gobernante se levantará de Belén para pastorear al pueblo de Dios y darle victoria sobre sus enemigos	X	X	X	X
52	Hab. 3.12-15	Jehová sale a salvar a su Ungido y herirá la cabeza de la casa del mal				
53	Jer. 23.5-6	Dios levantará un Renuevo Justo que actuará sabiamente y hará juicio y justicia en la tierra	X			
54	Jer. 30.9, 21	Al regreso del exilio, el pueblo de Dios servirá a David su Rey quien servirá como Mediador y se acercará a Dios en representación de ellos	X			
55	Jer. 31.21-22	Dios creará algo nuevo en la tierra	X			X
56	Jer. 33.14-26	Jehová levantará su Siervo justo en la tierra, y no fallará en cumplir su promesa a David y a Leví	X			
57	Ezeq. 17.22-24	Una rama tierna de la casa de David será un cedro sublime con pájaros diferentes habitando bajo él mismo	X			X
58	Ezeq. 21.25-27	La corona del último rey de Judá es quitada hasta que venga aquel que tiene el derecho				
59	Ezeq. 34.23-31	Dios pondrá sobre aquellos que regresen de Babilonia un Pastor, su siervo, David		X		
60	Ezeq. 37.21-28	El pueblo de Dios estará unido y tendrá un Rey, "Mi siervo David"		X		
61	Ezeq. 44.48	Un Príncipe en la era futura recibirá honor, y a través de él se ofrecerán sacrificios a Dios	X			
62	Dan. 7.13-14	Uno como un Hijo de Hombre vendrá ante el Anciano de Días para recibir Reino y dominio por siempre	X	X	X	X
63	Dan. 9.24-27	Después de 69 "semanas" de años, aparecerá el Mesías, él será quitado, y hará cesar el sacrificio y la ofrenda	X			X
64	Hag. 2.6-9	Después del temblar de las naciones, el deseado por todas las naciones vendrá y llenará el Templo de Dios con gloria	X		X	

Resumen de interpretaciones mesiánicas en el Antiguo Testamento (continuación)

	Referencia bíblica	Resumen de la profecía mesiánica	IJT	ANT	ENT	PI
65	Hag. 2.21-23	Zorobabel será el Anillo de sellar de Dios en el día que el trono de los reinos y los gentiles son trastornados por Jehová				
66	Zac. 3.8-10	El Siervo de Jehová, su Renuevo, es simbolizado por Josué el Sumo Sacerdote y por una piedra grabada	X			X
67	Zac. 6.12-13	Un hombre cuyo nombre es Renuevo edificará el Templo del Señor y será Sacerdote y Rey	X			X
68	Zac. 9.9-11	El Rey de Sión viene montado en un pollino	X		X	X
69	Zac. 10.3-4	Dios enviará al que es la Piedra Angular, la estaca de la tienda, el arco de la batalla, el que posee toda la soberanía	X			
70	Zac. 11.4-14	Las treinta piezas de platas lanzadas al alfarero en la casa de Dios			X	X
71	Zac. 13.7	La espada de la justicia divina golpea violentamente al pastor y se dispersan las ovejas			X	X
72	Mal. 3.1	El mensajero del Señor limpiará el camino ante él y el Señor vendrá repentinamente a su templo.	X	X	X	X
73	Mal. 4.2	El sol de justicia se presentará con sanidad en sus alas	X	X		

El Mesías Yeshúa en cada libro de la Biblia

*Adaptado por Norman L. Geisler, **A Popular Survey of the Old Testament***

Cristo en los libros del Antiguo Testamento

1. La Simiente de la Mujer (Gén. 3.15)

2. El Cordero de la Pascua (Éxo. 12.3-4)

3. El Sacrificio de Expiación (Lev. 17.11)

4. La Piedra Golpeada (Nah. 20.8, 11)

5. El Profeta Fiel (Deut. 18.18)

6. El Capitán de las Huestes del Señor (Jos. 5.15)

7. El Liberador Divino (Jue. 2.18)

8. El Pariente Redentor (Rut 3.12)

9. El Ungido (1 Sam. 2.10)

10. El Hijo de David (2 Sam. 7.14)

11. El Rey que Viene (1 Re.)

12. El Rey que Viene (2 Re.)

13. El Edificador del Templo (1 Crón. 28.20)

14. El Edificador del Templo (2 Crón.)

15. El Restaurador del Templo (Esd. 6.14, 15)

16. El Restaurador de la Nación (Neh. 6.15)

17. El Conservador de la Nación (Est. 4.14)

18. El Redentor Viviente (Job 19.25)

19. La Alabanza de Israel (Sal. 150.6)

20. La Sabiduría de Dios (Prov. 8.22, 23)

21. El Gran Maestro (Ecl. 12.11)

22. El Más Hermoso entre Diez Mil (Cant. 5.10)

23. El Siervo Sufriente (Isa. 53.11)

24. El Creador del Nuevo Pacto (Jer. 31.31)

25. El Varón de Dolores (Lam. 3.28-30)

26. La Gloria de Dios (Ezeq. 43.2)

27. El Mesías que Viene (Dan. 9.25)

28. Aquel que Ama a la que es Infiel (Ose. 3.1)

29. La Esperanza de Israel (Joel 3.16)

30. El Labrador (Amós 9.13)

31. El Salvador (Abd. 21)

32. El Resucitado (Juan. 2.10)

33. El Gobernador en Israel (Miq. 5.2)

34. El Vengador (Nah. 2.1)

35. El Dios Santo (Hab. 1.13)

36. El Rey de Israel (Sof. 3.15)

37. El Deseo de las Naciones (Hag. 2.7)

38. El Renuevo Justo (Zac. 3.8)

39. El Sol de Justicia (Mal. 4.2)

El Mesías Yeshua en cada libro de la Biblia (continuación)

Cristo en los libros del Nuevo Testamento

1. El Rey de los Judíos (Mat. 2.2)

2. El Siervo del Señor (Mar. 10.45)

3. El Hijo del Hombre (Luc. 19.10)

4. El Hijo de Dios (Juan1.1)

5. El Señor que Ascendió (Hch. 1.10)

6. La Justicia del Creyente (Rom 1.17)

7. Nuestra Santificación (1 Cor. 1.30)

8. Nuestra Suficiencia (2 Cor. 12.9)

9. Nuestra Libertad (Gál. 2.4)

10. La Cabeza Exaltada de la Iglesia (Efe. 1.22)

11. El Gozo del Cristiano (Fil. 1.26)

12. La Plenitud de la Deidad (Col. 2.9)

13. El Consuelo del Creyente (1 Tes. 4.16, 17)

14. La Gloria del Creyente (2 Tes. 1.12)

15. El Preservador del Cristiano (1 Tim. 4.10)

16. El Recompensador del Cristiano (2 Tim. 4.8)

17. La Esperanza Bienaventurada (Tito 2.13)

18. Nuestro Suplente (Flm. 17)

19. El Gran Sumo Sacerdote (Heb. 4.15)

20. El Dador de Sabiduría (Sant. 1.5)

21. La Roca (1 Pe. 2.6)

22. La Promesa Preciosa (2 Pe. 1.4)

23. La Vida (1 Juan)

24. La Verdad (2 Juan)

25. El Camino (3 Juan)

26. El Abogado (Judas)

27. El Rey de reyes y Señor de señores (Ap. 19.16)

APÉNDICE 21

Nombres, títulos y epítetos para el Mesías en el Antiguo Testamento
Adaptado por Norman L. Geisler, A Popular Survey of the Old Testament

1. Abogado, Job 16.19

2. Ángel (mensajero), Job 33.23

3. Ungido, 1 Sm. 2.19; Sal. 2.2

4. Arco de guerra, Zac. 10.4

5. Gobernador de Belén, Miq. 5.2

6. El liberador que abre camino, Miq. 2.13

7. Jefe, Is. 55.4

8. Piedra angular, Sal. 118.22; Is. 28.16

9. Pacto del pueblo, Is. 42.6

10. El que holla, Gn. 3.15

11. David, Os. 3.5; Jer. 30.9

12. Deseo de todas las naciones, Hag. 2.7

13. El eterno, Sal. 102.25-27

14. Sacerdote eterno, Sal. 110.4

15. Padre eterno, Is. 9.6

16. Sacerdote fiel, 1 Sm. 2.35

17. Primogénito, Sal. 89.27

18. Desamparado sufriente, Sal. 22

19. Fundamento, Is. 28.16; Zac. 10.4

20. Dios, Sal. 45.6-7

21. Cabeza, Os. 1.11; Miq. 2.13

22. Sanador, Is. 42.7

23. El que viene, Sal. 118.26

24. Cuerno de David, Sal. 132.17

25. Emanuel, Is. 7.14

26. Intérprete, Job 33.23

27. Israel, Os. 11.1; Is. 49.3

28. Rey, Sal. 2.5; Os. 3.5

29. Lámpara de David, Sal. 132.17

30. Último, Job 19.25

31. Purificador, Mal. 3.2

32. Líder, Is. 55.4

33. Libertador, Is. 42.7

34. Luz, Is. 9.2

35. Luz a los gentiles, Is. 42.6; 49.6

36. Señor, Mal. 3.1

37. Varón, Zac. 6.12; 13.7

38. Varón de dolores, Is. 53.3

39. Mediador, Job 33.23

40. Mensajero del pacto, Mal. 3.1

41. Mesías-Príncipe, Dn. 9.25

42. Dios poderoso, Is. 9.6

43. Fuerte héroe, Sal. 45.3

44. Compañero mío, Zac. 13.7

45. Clavo (peg), Zac. 10.4

46. Nuestra paz, Miq. 5.5

47. Relator de parábolas, Sal. 78.1-2

48. El traspasado, Zac. 12.10

Nombres, títulos y epítetos para el Mesías en el Antiguo Testamento (continuación)

49. Pobre y afligido, Sal. 69.29

50. Gobernador sacerdotal, Jer. 30.21; Zac. 6.13

51. Príncipe, Ez. 37.25; 44-48

52. Príncipe de paz, Is. 9.6

53. Proclamador de las Buenas Nuevas a los pobres, Is. 61.2

54. Profeta como Moisés, Dt. 18.15,18

55. Redentor, Job 19.25; Is. 59.20

56. Refinador, Mal. 3.2

57. Refugio, Is. 32.1

58. Pastor rechazado, Zac. 11

59. Piedra rechazada, Sal. 118.22

60. Renuevo justo, Jer. 23.5; 33.15

61. Raíz de tierra seca, Is. 53.2

62. Señor de toda la naturaleza, Sal. 8.5-8

63. Señor de la Tierra, Is. 16.5

64. Cetro, Núm. 24.17

65. Segundo Moisés, Os. 11.1

66. Simiente de Abraham, Gn. 12.3; 18.18

67. Simiente de David, 2 Sm. 2.12

68. Simiente de la mujer, Gn. 3.15

69. Siervo, Is. 42.1; 49.3, 6

70. Sombra, Is. 32.2

71. Abrigo, Is. 32.1

72. Pastor, Ez. 34.23; 37.24

73. Siloh, Gn. 49.10

74. Vástago, Zac. 3.8; 6.12

75. Renuevo del tronco de Isaí, Is. 11.1

76. Renuevo de Jehová, Is. 4.2

77. Señal y maravilla, Is. 8.18

78. Anillo de sellar, Hag. 2.23

79. Hijo de Dios, 2 Sm. 7.14; Sal. 2.7

80. Hijo del Hombre, Sal. 8.4; Dn. 7.13

81. Estrella, Núm. 24.17

82. Piedra, Zac. 3.9

83. Víctima sustitutiva, Is. 53

84. Sol de justicia, Mal. 4.5

85. Maestro, Is. 30.20

86. Maestro de justicia, Joel 2.23

87. Renuevo tierno, Is. 53.2

88. Rama tierna, Ez. 17.22

89. Edificador del templo, Zac. 6.12

90. Morador de tiendas, Gn. 9.26-27

91. Piedra probada, Is. 28.16

92. Pionero, Sal. 16.11

93. Victorioso, Sal. 68.18

94. Voluntario, Sal. 40.7

95. Agua de vida, Is. 32.2

96. Testigo, Job 16.19

97. Testigo a los pueblos, Is. 55.4

98. Maravilloso consejero, Is. 9.6

99. Jehová, nuestra justicia, Jer. 23.6

100. Zorobabel, Hag. 2.23

APÉNDICE 22

Promesa vs. predicción: La hermenéutica apostólica del AT

Adaptado por Christopher J. H. Wright

Y así fue cumplido: cinco escenas de la vida temprana de Jesús				
Incidente en la vida de Jesús	Cita de Mateo	Referencia del Antiguo Testamento	Comentario sobre el contexto actual histórico del texto del Antiguo Testamento	El significado de la hermenéutica
Seguridad a José respecto al niño concebido en María	Mt. 1.18-25	Is. 7.14, Emanuel, la señal dada al Rey Acaz por Isaías	La profecía sobre Emanuel fue dada como señal al Rey Acaz en su propio contexto histórico, y no proporciona en principio indicación que fuera una predicción a largo plazo de importancia mesiánica	El Espíritu Santo proveyó a los apóstoles de sabiduría divina para hacer conexiones no sólo con las claras predicciones mesiánicas, sino también con aquellos aspectos de la historia de Israel que representan de un modo directo alguna faceta de la vida y ministerio de Jesús.
El nacimiento de Jesús en Belén, la ciudad de David	Mt. 2.1-12	Miq. 5.2, Profecía del Gobernador de Israel que vendría de Belén	Una predicción mesiánica directa sobre el lugar de nacimiento del futuro Gobernador de Israel y las naciones	La capacidad de correlacionar los acontecimientos particulares de Israel a la vida y el ministerio de Jesús el Mesías es exactamente la naturaleza de la hermenéutica apostólica iluminada por el Espíritu, la cual coincide con la Escritura divina e inspirada por el Espíritu.
El escape a Egipto y el regreso de allá	Mt. 2.13-15	Os. 11, La liberación de Dios de su pueblo Israel, su "Hijo", fuera de Egipto en el Éxodo	No hay predicción presente; la referencia de Oseas es una alusión profética al Éxodo del pueblo de Dios de Egipto	
El asesinato de los niños en Belén, por Herodes	Mt. 2.16-18	Jer. 31.15, El lamento de Jeremías por la nación israelita que se dirigía al exilio, a la cautividad babilónica	El texto del AT es un cuadro figurativo del lamento de Raquel (Israel) durante el exilio en 587 A.C. después de la caída de Jerusalén a manos de Babilonia. No hay predicción mesiánica explícita en el texto	
El establecimiento de la familia de Jesús en Nazaret de Galilea	Mt. 2.19-23	Algunas posibles alusiones en el AT, Jue. 13.5; 1 Sm. 1.11; Amós 2.10-11	Los textos tienen aplicación dentro de su marco, pero no de una manera explícita para cumplir las predicciones mesiánicas	Estamos invitados a practicar una exégesis de las Escrituras y a hacer correlaciones en la misma manera en que el Señor y los apóstoles lo hicieron, aunque nuestras conexiones nunca deben ser consideradas normativas, así como las de ellos.

A P É N D I C E   2 3

Jesús el Mesías: Cumplimiento de los símbolos del Antiguo Testamento

*Adaptado por Norman Geisler, **To Understand the Bible, Look for Jesus**, Pág. 38-41.*

Jesús el Mesías cumple con los símbolos (tipos) del tabernáculo

Tipos de tabernáculo	Jesús de Nazaret como el antitipo
La puerta	Yo soy la puerta Juan 10.9
El altar de bronce	Dio su vida en rescate por muchos Mr.10.45
El lavacro	Si no dejas que te lave, no tienes parte conmigo Juan 13.8, 10; 1 Juan 1.7
El candelabro	Yo soy la luz del mundo Juan 8.12
La mesa de los panes	Yo soy el pan de vida Juan 6.48
El altar del incienso	Yo estoy orando por ellos Juan 17.9
El velo	Éste es mi cuerpo Mt. 26.26
El propiciatorio	Yo doy mi vida por las ovejas Juan 10.15

Jesús el Mesías: Cumplimiento de los símbolos del Antiguo Testamento (continuación)

Contraste entre el sacerdocio de Aarón y el de Melquisedec

Naturaleza del orden	El orden del sacerdocio levítico de Aarón	El orden del sacerdocio de Jesús Mesías (sacerdocio de Melquisedec)
Consagración	Temporal y perecedero	Sacerdocio eterno Heb. 7.21-23
Sacerdote	Falible, vulnerable al pecado	Sin pecado y perfecto Heb. 7.26
Sacerdocio	Cambiable	Sacerdocio inmutable Heb. 7.24
Ministerio	Contínua ofrenda de sacrificio	Aseguraba una redención eterna de una vez por todas Heb. 9.12, 26
Mediación	Representación imperfecta	Representación perfecta entre Dios y la humanidad Heb. 2.14-18
Sacrificio	Incapaz e insuficiente para quitar el pecado del ofensor	Ofreció un sólo sacrificio por el pecado y para siempre Heb. 10.11-12
Intercesión	Era interrumpida por debilidad y muerte	Siempre vive para interceder por nosotros Heb. 7.25

Jesús el Mesías: Cumplimiento de los símbolos del Antiguo Testamento (continuación)

Jesús el Mesías cumple los sacrificios y los ofrendas levíticas

La ofrenda levítica	Cómo se cumple la ofrenda en Jesús de Nazaret
El holocausto	La perfección de su vida Heb. 9.14
La ofrenda de grano	La dedicación y presentación de su vida Heb. 5.7; Juan 4.34
La ofrenda de paz	Él es la paz para nuestras almas y nuestras relaciones Heb. 4.1-2; Ef. 2.14
La ofrenda por el pecado	Él llevó la pena por nuestra ofensa Heb. 10.12; 1 Juan 2.2
La ofrenda de expiación	Provisión para el delincuente Heb. 10.20-21; 1 Juan 1.7

Jesús el Mesías: Cumplimiento de los símbolos del Antiguo Testamento (continuación)

Jesús Mesías cumple las fiestas y festividades levíticas

Fiesta levítica (Lv. 23)	El cumplimiento en Jesús de Nazaret
La Pascua (Abril)	La muerte de Jesucristo 2 Co. 5.17
Panes sin levadura (Abril)	Caminar en santidad y humildad delante de Jesús 1 Co. 5.8
Primeros frutos (Abril)	La resurrección de Jesús el Mesías 1 Co. 15.23
La fiesta de Pentecostés (Junio)	Derramamiento del Espíritu por el Padre y el Hijo Hch. 1.5; 2.4
Trompetas (Septiembre)	Reagrupamiento de la nación de Israel por medio de Jesús el Mesías Mt. 24.31
El Día de Expiación (Septiembre)	Propiciación y purificación a través de Jesús Ro. 11.26
Tabernáculos (Septiembre)	Descanso y reunión con Jesús el Mesías Zac. 14.16-18

A P É N D I C E   2 4

Análisis de diferentes tendencias de pensamiento
Modo de pensar y estilos de vida integrado vs. fragmentado

Rev. Dr. Don L. Davis

Un modo de pensar fragmentado	Un modo de pensar integrado
Ve las cosas en relación a sus necesidades	Ve todas las cosas como un todo
Ve todo lo que no es de Dios como un punto de referencia y coordinación que sustituye el significado y la verdad	Ve a Dios en Cristo como el máximo punto de referencia y coordinación para todo significado y verdad
Busca la bendición de Dios para su realce personal	Alinea sus metas personales con el plan y propósitos de Dios
Entiende el propósito de la vida de experimentar el nivel más grande del logro personal y realce posible	Entiende el propósito de la vida para hacer la máxima contribución posible al propósito de Dios en el mundo
Solo se relaciona con otros en conexión a su efecto sobre ellos y a su lugar dentro de su propio espacio personal individual	Profundamente se identifica con toda la gente y las cosas como una parte integral del gran plan de Dios para su propia gloria
Define a la teología como un intento de expresar la perspectiva de alguien sobre ciertas ideas o conceptos religiosos	Define la teología como el intento de entender los planes y designios de Dios para sí mismo en Jesucristo
Sus aplicaciones se arraigan en buscar la respuesta correcta a un tema o situación en particular	Sus aplicaciones son el resultado de entender qué es lo que Dios está haciendo para Sí mismo en el mundo
Se enfoca en el estilo del análisis (discierne los procesos y el quehacer de las cosas)	Se enfoca en el estilo de síntesis (para discernir la conexión y unidad de todas las cosas)
Busca entender la revelación bíblica primordialmente del punto de vista de su propia vida privada ("El plan de Dios para mi vida")	Busca entender la revelación bíblica primariamente desde un punto de vista del plan de Dios para todos ("El plan de Dios para las edades")
Gobernado por preocupaciones para asegurar su propia seguridad e importancia de sus esfuerzos elegidos ("Mi plan personal de vida")	El hacer decisiones es gobernado por un compromiso de participar como co-trabajadores con Dios en la visión completa ("El trabajo de Dios en el mundo")
Se coordina a sí mismo alrededor de necesidades personales como proyecto o paradigma de trabajo	Conecta y se relaciona alrededor de la visión de Dios y su plan como un paradigma de trabajo
Ve a la misión y al ministerio como la expresión de su talento y carga personal, trayendo personal satisfacción y seguridad	Ve a la misión y al ministerio como una presente expresión práctica de su identidad en relación a la visión panorámica de Dios
Relaciona el conocimiento, oportunidad, y actividad a las metas de realce y logros personales	Relaciona el conocimiento, oportunidad y actividad a una sola visión integrada y propósito
Todo en la vida es percibido en torno de la identidad personal y necesidades del individuo	Todo en la vida es percibido alrededor de un solo tema: la revelación de Dios en Jesús de Nazaret

Análisis de diferentes tendencias de pensamiento (continuación)

Escrituras acerca de la validez de ver todas las cosas unidas como una sola

Sal. 27.4 (LBLA) - Una cosa he pedido al SEÑOR, y ésa buscaré: que habite yo en la casa del SEÑOR todos los días de mi vida, para contemplar la hermosura del SEÑOR, y para meditar en su templo.

Lc. 10.39-42 (RV60) - Esta tenía una hermana que se llamaba María, la cual, sentándose a los pies de Jesús, oía su palabra. [40] Pero Marta se preocupaba con muchos quehaceres, y acercándose, dijo: Señor, ¿no te da cuidado que mi hermana me deje servir sola? Dile, pues, que me ayude. [41] Respondiendo Jesús, le dijo: Marta, Marta, afanada y turbada estás con muchas cosas. [42] Pero sólo una cosa es necesaria; y María ha escogido la buena parte, la cual no le será quitada.

Fil. 3.13-14 (NVI) - Hermanos, no pienso que yo mismo lo haya logrado ya. Más bien, una cosa hago: olvidando lo que queda atrás y esforzándome por alcanzar lo que está delante, [14] sigo avanzando hacia la meta para ganar el premio que Dios ofrece mediante su llamamiento celestial en Cristo Jesús.

Sal. 73.25 (RV60) - ¿A quién tengo yo en los cielos sino a ti? Y fuera de ti nada deseo en la tierra.

Mc. 8.36 (NVI) - ¿De qué sirve ganar el mundo entero si se pierde la vida?

Lc. 18.22 (RV60) -Jesús, oyendo esto, le dijo: Aún te falta una cosa: vende todo lo que tienes, y dalo a los pobres, y tendrás tesoro en el cielo; y ven, sígueme.

Jn. 17.3 (RV60) - Y esta es la vida eterna: que te conozcan a ti, el único Dios verdadero, y a Jesucristo, a quien has enviado.

1 Co. 13.3 (NVI) - Si reparto entre los pobres todo lo que poseo, y si entrego mi cuerpo para que lo consuman las llamas, pero no tengo amor, nada gano con eso.

Gál. 5.6 (NVI) - En Cristo Jesús de nada vale estar o no estar circuncidados; lo que vale es la fe que actúa mediante el amor.

Análisis de diferentes tendencias de pensamiento (continuación)

Col. 2.8-10 (LBLA) - Mirad que nadie os haga cautivos por medio de su filosofía y vanas sutilezas, según la tradición de los hombres, conforme a los principios elementales del mundo y no según Cristo. [9] Porque toda la plenitud de la Deidad reside corporalmente en Él, [10] y habéis sido hechos completos en Él, que es la cabeza sobre todo poder y autoridad.

1 Jn. 5.11-12 (RV60) - Y este es el testimonio: que Dios nos ha dado vida eterna; y esta vida está en su Hijo. [12] El que tiene al Hijo, tiene la vida; el que no tiene al Hijo de Dios no tiene la vida.

Sal. 16.5 (LBLA) - El SEÑOR es la porción de mi herencia y de mi copa; tú sustentas mi suerte.

Sal. 16.11 (RV60) - Me mostrarás la senda de la vida; en tu presencia hay plenitud de gozo; delicias a tu diestra para siempre.

Sal. 17.15 (LBLA) - En cuanto a mí, en justicia contemplaré tu rostro; al despertar, me saciaré cuando contemple tu imagen.

Ef. 1.9-10 (NVI) -Él nos hizo conocer el misterio de su voluntad conforme al buen propósito que de antemano estableció en Cristo, [10] para llevarlo a cabo cuando se cumpliera el tiempo: reunir en él todas las cosas, tanto las del cielo como las de la tierra.

Jn. 15.5 (NVI) - Yo soy la vid y ustedes son las ramas. El que permanece en mí, como yo en él, dará mucho fruto; separados de mí no pueden ustedes hacer nada.

Sal. 42.1 (LBLA) - Como el ciervo anhela las corrientes de agua, así suspira por ti, oh Dios, el alma mía.

Hab. 3.17-18 (NVI) - Aunque la higuera no dé renuevos, ni haya frutos en las vides; aunque falle la cosecha del olivo, y los campos no produzcan alimentos; aunque en el aprisco no haya ovejas, ni ganado alguno en los establos; [18] aun así, yo me regocijaré en el Señor ¡me alegraré en Dios, mi libertador.

Mt. 10.37 (RV60) - El que ama a padre o madre más que a mí, no es digno de mí; el que ama a hijo o hija más que a mí, no es digno de mí.

Sal. 37.4 (RV60) - Deléitate asimismo en Jehová, y él te concederá las peticiones de tu corazón.

Sal. 63.3 (RV60) -Porque mejor es tu misericordia que la vida; mis labios te alabarán.

Análisis de diferentes tendencias de pensamiento (continuación)

Sal. 89.6 (LBLA) - ¿Quién en los cielos es comparable al Señor? ¿Quién como él entre los seres celestiales?

Fil. 3.8 (NVI) - Es más, todo lo considero pérdida por razón del incomparable valor de conocer a Cristo Jesús, mi Señor. Por él lo he perdido todo, y lo tengo por estiércol, a fin de ganar a Cristo.

1 Jn. 3.2 (RV60) - Amados, ahora somos hijos de Dios, y aún no se ha manifestado lo que hemos de ser; pero sabemos que cuando él se manifieste, seremos semejantes a él, porque le veremos tal como él es.

Ap. 21.3 (NVI) - Oí una potente voz que provenía del trono y decía: "¡Aquí, entre los seres humanos, está la morada de Dios! Él acampará en medio de ellos, y ellos serán su pueblo; Dios mismo estará con ellos y será su Dios.

Ap. 21.22-23 (NVI) - No vi ningún templo en la ciudad, porque el Señor Dios Todopoderoso y el Cordero son su templo. [23] La ciudad no necesita ni sol ni luna que la alumbren, porque la gloria de Dios la ilumina, y el Cordero es su lumbrera.

Sal. 115.3 (RV60) - Nuestro Dios está en los cielos; todo lo que quiso ha hecho.

Jer. 32.17 (LBLA) - ¡Ah, Señor DIOS! He aquí, tú hiciste los cielos y la tierra con tu gran poder y con tu brazo extendido; nada es imposible para ti.

Dn. 4.35 (RV60) - Todos los habitantes de la tierra son considerados como nada; y él hace según su voluntad en el ejército del cielo, y en los habitantes de la tierra, y no hay quien detenga su mano, y le diga: ¿Qué haces?

Ef. 3.20-21 (NVI) - Al que puede hacer muchísimo más que todo lo que podamos imaginarnos o pedir, por el poder que obra eficazmente en nosotros, [21] ¡a él sea la gloria en la Iglesia y en Cristo Jesús por todas las generaciones, por los siglos de los siglos! Amén.

APÉNDICE 25

Principios detrás de la profecía
Rev. Dr. Don L. Davis

1. La profecía provee verdad divinamente inspirada sobre Dios, su universo y su voluntad.

    - ¿Quién es Dios y cuál es la naturaleza de lo "real"?

    - ¿Cuál es la verdad, y cómo podemos conocerla?

    - ¿De dónde venimos, por qué estamos aquí, y cómo debemos actuar?

2. La profecía se origina y tiene su fuente en el Espíritu Santo.

    - Es Su regalo (Rom 12.6; 1 Cor. 12.10; Efe. 4.8).

    - Profeta = "persona del Espíritu", *pneumatikos* (1 Cor. 14.37 y Ose. 9.7)

    - La esperanza de Moisés (Nah. 11.16, 29; compárese con Luc. 10.1)

3. Diversas y varias formas de revelación (Jer. 18.18, Ley del sacerdote, consejo de los sabios, y palabra del profeta).

    - Vivían en comunidades y gremios, algunos eran adjuntos al templo, mientras otros eran sacerdotes (compárese con 2 Re. 2.3 en adelante.; Ezeq. 1.3; Jer. 1.1).

    - Maestros sabios y prudentes eran "receptores y mediadores" del don divino (compárese con Gén. 41.38; 2 Sam. 14.20; 16.23; 1 Re. 3.9, etc.).

    - Tanto maestro de sabiduría y profeta: Daniel

4. La profecía no es auténtica por ella misma: su validez debe de ser juzgada.

    - Existía conflicto ente profetas dentro del antiguo y Nuevo Testamento (compárese con 1 Re. 22; Jer. 23; 28 y 2 Cor. 11.4, 13; 1 Juan 4.1-3).

    - Demandas proféticas deben estar de acuerdo con Moisés (Deut. 13.1-5) y Jesús (Mat. 7.15; 24.11; 2 Pe. 2.1).

    - Si la Palabra se cumple, es del Señor (Deut. 18.15-22).

    - Toda la profecía debe ser examinada por su valor verdadero (1 Tes. 5.19-21).

5. El testimonio de Jesús es el espíritu de la profecía (Ap. 19.10).

    - La profecía habla del sufrimiento y gloria del Mesías (Luc. 24.25-27; 44).

    - Las Escrituras proféticas se enfocan en su persona y trabajo (Juan 5.39-40).

    - Predicación apostólica conectada con Su mensaje (Hch. 3.12-18; 10.43; 13.27; Rom 3.21-22; 1 Pe. 1.10-12; 2 Pe. 1.19-21).

APÉNDICE 26

Una armonía del ministerio de Jesús

Adaptado por Walter M. Dunnett, **Exploring the New Testament,** *p. 14.*

Evangelio	El período de preparación	El período del ministerio público		El período de sufrimiento	El período de triunfo
		Apertura	Cierre		
Mateo	1.1-4.16	4.17-16.20	16.21-26.2	26.3-27.66	28.1-20
Marcos	1.1-1.13	1.14-8.30	8.31-13.37	14.1-15.47	16.1-20
Lucas	1.1-4.13	4.14-9.21	9.22-21.38	22.1-23.56	24.1-53
Juan	1.1-34	1.35-6.71	7.1-12.50	13.1-19.42	20.1-21.25

APÉNDICE 27

Apariciones del Mesías resucitado

Dr. Don L. Davis

	Aparición	Escritura
1	Aparición a María Magdalena	Juan 20.11-17; Mar. 16.9-11
2	Aparición a las mujeres	Mat. 28.9-10
3	Aparición a Pedro	Luc. 24.34; 1 Cor. 15.5
4	Aparición a los discípulos en el camino a Emaús	Mar. 16.12-13; Luc. 24.13-35
5	Aparición a los diez discípulos, referido como a los "once" (con Tomás ausente)	Mar. 16.14; Luc. 24.36-43; Juan 20.19-24
6	Aparición a los once con Tomás presente una semana después	Juan 20.26-29
7	Aparición a siete discípulos junto al Mar de Galilea	Juan 21.1-23
8	Aparición a quinientos	1 Cor. 15.6
9	Aparición a Santiago, hermano del Señor	1 Cor. 15.7
10	Aparición a los once discípulos en el monte de Galilea*	Mat. 28.16-20
11	Aparición a sus discípulos en su ascensión en el Monte de los Olivos*	Luc. 24.44-53; Hch. 1.3-9
12	Aparición a Esteban antes de su muerte como el primer mártir de la Iglesia (testigo)	Hch. 7.55-56
13	Aparición a Pablo en el camino a Damasco	Hch. 9.3-6; compárese con 22.6-11; 26.13-18; 1 Cor. 15.8
14	Aparición a Pablo en Arabia	Hch. 20.24; 26.17; Gál. 1.12,17
15	Aparición a Pablo en el templo	Hch. 22.17-21; compárese con 9.26-30; Gál. 1.18
16	Aparición a Pablo en la prisión en Cesarea	Hch. 23.11
17	Aparición a Juan durante su exilio en Patmos	Ap. 1.12-20

* Los incisos 10 y 11 describen los eventos que comúnmente se refieren a "La Gran Comisión" y "La Ascensión", respectivamente.

APÉNDICE 28

Hechos generales referentes al Nuevo Testamento

Una tabla comparativa de los cuatro Evangelios

Robert H. Gundry. **Una Encuesta del Nuevo Testamento**. *Grand Rapids: Zondervan, 1981.*

	Fecha probable de la Escritura	Lugar probable de la Escritura	Primera audiencia proyectada	Tema de enfoque
Marcos	Década del 50	Roma	Gentiles en Roma	Actividad redentora de Jesús
Mateo	Década del 50 o 60	Antioquía en Siria	Judíos en Palestina	Jesús el Mesías Judío, y los discípulos como el pueblo nuevo de Dios
Lucas	Década del 60	Roma	Gentiles interesados en la búsqueda	La verdad histórica del informe evangélico
Juan	Décadas del 89 o 90	Éfeso	Población general en Asia Menor	Creer en Jesús como el Mesías para la vida eterna

Antiguo Testamento apócrifo

Walter A. Elwell and Robert W. Yarbrough. **Encuentro con el Nuevo Testamento**. *Grand Rapids: Libros Baker, 1998.*

Los católicos romanos y algunas iglesias ortodoxas orientales reconocen los informes a continuación como Escrituras bíblicas. Los protestantes admiten su valor literario y significancia histórica pero no los ven como que poseen autoridad espiritual		
Adiciones a Ester	Judith	Oración de Manasés
Baruc	Carta de Jeremías	Salmo 151
Bel y el Dragón	1 Macabeos	Canción de los Tres Judíos
Eclesiástico (Sabiduría de Jesús Hijo de Sirac)	2 Macabeos	Susana
1 Esdras	3 Macabeos	Tobías
2 Esdras	4 Macabeos	La Sabiduría de Salomón
	Oración de Azarías	

Hechos generales acerca del Nuevo Testamento

1. El NT es el testamento de la obra salvadora en tiempos más recientes y anuncia al Salvador que el AT espera.

2. El NT contiene 27 libros, cuatro tratan con la vida y ministerio de Jesús llamados *Evangelios*, uno trata con la historia de la Iglesia, Hechos, y 21 *Epístolas* o cartas, y un libro de *profecía*.

3. La colección de libros en el NT incluye el *canon*, una colección autorizada que se juntó a través de más de 3 siglos.

4. Los manuscritos del NT primero fueron escritos en papiro (un papel hecho de junco, y después en piel). Casi 300 otros están escritos en *unciales*, que significa letras mayúsculas, usualmente en piel. Las *minúsculas* representan el grupo más grande y demuestran un tipo de escritura cursiva desarrollada en *Bizancio* alrededor del siglo noveno. *Leccionarios*, libros que se usan en adoración eclesiástica, incluyen porciones de las Escrituras también.

5. El NT es confiable porque 1) la evidencia extensiva que lo apoya; 2) los autores lo escribieron dentro de la primera o segunda generación de la historia cristiana; 3) versiones antiguas fueron ampliamente distribuidas.

6. El tono personal del NT se ve en el hecho que de los 27 libros, 24 son cartas personales, y 3 son informes personalizados sobre la vida y obra de Cristo.

7. El apócrifo incluye 14 libros *no canónico* escritos entre el año 200 A.C. y 100 D.C.

8. Jesús fue visto por los judíos como una amenaza porque hizo declaraciones controversiales acerca de sí mismo y tomó libertades con las costumbres judías.

9. Jesús apareció en un tiempo cuando las tradiciones del judaísmo dictaba mucho de la vida y de la práctica judía. El conocimiento de estas costumbres pueden ayudar grandemente en el entendimiento del NT.

Representaciones de Jesús en los libros del Nuevo Testamento

Adaptado de "El Cristo Incomparable", por John Stott.

Las trece cartas de Pablo				
Fecha aproximada de Escritura	Período	Grupo	Cartas	Cómo es presentado el Mesías
48-49	Fin del 1er. viaje misionero	Una carta polémica	Gálatas	Cristo el Libertador
50-52	Durante el 2do. viaje misionero	Las cartas tempranas	1 y 2 Tesalonicenses	Cristo el Juez que viene
53-57	Durante el 3er. viaje misionero	Las cartas mayores	Romanos, 1 y 2 Corintios	Cristo el Salvador
60-62	Durante el 1er. encarcelamiento en Roma	Las cartas de la prisión	Colosenses, Filemón, Efesios, y Filipenses	Cristo el Señor supremo
62-67	Durante su libertad y el 2do. encarcelamiento	Las cartas pastorales	1 y 2 Timoteo y Tito	Cristo la Cabeza de la Iglesia
Epístolas generales y el Apocalipsis				
Antes del 70	Durante el ministerio paulino y petrino	Epístola a los creyentes judíos	Hebreos	Cristo nuestro gran sumo Sacerdote
45-50	Primer libro que se escribiría en el NT	Epístolas generales	Santiago	Cristo nuestro Maestro
64-67	Período temprano de la persecución	Epístolas generales	1 y 2 Pedro	Cristo nuestro ejemplo en el sufrir
90-100	A finales del apostolado	Epístolas generales	1, 2, y 3 de Juan	Cristo nuestra vida
66-69	Amenaza de la apostasía temprana	Epístolas generales	Judas	Cristo nuestro abogado
95	Escrito durante el exilio	Profecía	Apocalipsis	Rey de reyes y Señor de señores

A P É N D I C E   3 0

Lecturas acerca de la credibilidad histórica del Nuevo Testamento

Los informes históricos de Yeshúa: ¿Verdad o ficción?

> *versículos tomados de David H. Stern, La Biblia Judía Completa*

Lucas 1.1-4 - Puesto que ya muchos han tratado de poner en orden la historia de las cosas que entre nosotros han sido ciertísimas, tal como nos lo enseñaron los que desde el principio lo vieron con sus ojos, y fueron ministros de la palabra, *me ha parecido después de haber investigado con diligencia todas las cosas desde su origen, escribírtelas por orden*, oh excelentísimo Teófilo, para que conozcas bien la verdad de las cosas en las cuales has sido instruido.

Juan 20.30-31 - Hizo además Jesús muchas otras señales en presencia de sus discípulos, las cuales no están escritas en este libro. *Pero éstas se han escrito para que creáis que Jesús es el Cristo,* el Hijo de Dios, y para que creyendo, tengáis vida en su nombre.

Juan 21.24-25 - Este es el discípulo que da testimonio de estas cosas, y escribió estas cosas; y sabemos que su testimonio es verdadero. Y hay también otras muchas cosas que hizo Jesús, las cuales si se escribieran una por una, pienso que ni aun en el mundo cabrían los libros que se habrían de escribir. Amén.

La visión crítica moderna I: ¿Cuál es la credibilidad histórica del Nuevo Testamento?

> *Howard Clark Kee. Entendiendo el Nuevo Testamento. Englewood Cliffs, NJ: Prentice-Hall, 1983. pág. 9.*

Una vez que se reconoce que hay distintos puntos de vista dentro del Nuevo Testamento y que hay discrepancias dentro de los informes narrativos, *muchos piensan que la credibilidad del Nuevo Testamento como un documento histórico está comprometido o aun negado.* La sinceridad nos requiere reconocer, sin importar nuestro punto de vista, que los escritos registran eventos del Nuevo Testamento que ocurrieron por lo menos una generación antes que hayan sido escritos.

Cuando añadimos esto a la descripción propia de los discípulos como iletrados (Hch. 4.13), debemos reconocer que *había una etapa crucial de transmisión oral de la tradición de Jesús antes que los Evangelios fueran producidos así como los tenemos.* Las diferencias que son evidentes entre ellos no son en algunos casos cuestiones de gran importancia - como si la familia de Jesús vivió originalmente en Belén (Mat. 2) o si estaban sólo temporalmente allí, pero radicaban en Nazaret (Luc. 2). Sin embargo, un serio esfuerzo para entender el NT debe llegar a términos con estas diferencias para buscar tomarlos en cuenta.

Lecturas sobre la Credibilidad Histórica del Nuevo Testamento (continuación)

La visión crítica moderna II: ¿Son los informes de la pasión de Jesús propaganda?

También debemos llamar a duda si es apropiado para nosotros imponer nuestros estándares supuestos de objetividad histórica en documentos como el NT. Como Juan 20.31 dice, él ha reportado los hechos (señales) espectaculares de la historia de Jesús "para que creáis que Jesús es el Cristo, el Hijo de Dios". Claramente no todos sus lectores van a compartir sus conclusiones, pero él es franco en decir a sus lectores sus objetivos. Y esas metas no son un reportaje objetivo. *Usando el término en su sentido de origen, de un medio sin propagar un punto de vista o creencia, el Nuevo Testamento no es historia objetiva, sino propaganda.* Pero entonces la historia, en cualquier tiempo y cultura, siempre consiste en un evento más su interpretación o punto de vista. Lo que se requiere es estar al tanto de las suposiciones del escritor, las metas de las escrituras y lo que su vocabulario, estilo y lenguaje conceptual presuponen.

◄ Howard Clark Kee. Entendiendo el Nuevo Testamento. Englewood Cliffs, NJ: Prentice-Hall, 1983. pág. 9.

La visión crítica moderna III: ¿Acaso la necesidad comunitaria dictó el mensaje?

Jesús de Nazaret es la base histórica para el reclamo cristiano de ser la comunidad del nuevo pacto. Pero, como hemos observado, nuestra evidencia documentaria acerca de Él fue escrita mucho antes de su muerte, probablemente en la última mitad del primer siglo. *Nuestros registros son una serie de respuestas a Jesús por los que vieron en él al agente de Dios, no los reportes de observadores independientes.* En el proceso de analizar estos documentos de fe aprendemos de Jesús, pero también aprendemos acerca de *las comunidades en las que la tradición sobre Su persona fue atesorada y transmitida.*

◄ Howard Clark Kee. Entendiendo el Nuevo Testamento. Englewood Cliffs, NJ: Prentice-Hall, 1983. pág. 78, 121.

La muerte de Cristo fue en sí identificada con la Pascua en las iglesias paulinas (1 Cor. 5.7); y *en círculos juaninos* [es decir, en las iglesias de Juan], Jesús fue considerado como el Cordero de Dios (Juan 1.29; Ap. 5). . . . Pero sólo Marcos estuvo complacido al afirmar que la muerte de Jesús fue necesaria, sin explicar por qué ni cómo, así que simplemente declara que la muerte de Jesús es en nombre de otros. Esto es lo que *la comunidad de Marcos* celebra en la comunión, mientras que ven hacia adelante a la culminación del número de los elegidos en la nueva era.

APÉNDICE 31

El sufrimiento: El costo del discipulado y el liderazgo de servicio

Rev. Dr. Don L. Davis

Ser un discípulo es cargar con el estigma y reproche de Aquel que lo llamó a su servicio (2 Ti. 3.12). Prácticamente, esto podría significar perder las comodidades, conveniencias, y hasta la vida misma (Jn. 12.24-25).

Todos los apóstoles de Cristo sufrieron insultos, represiones, latigazos y rechazos por los enemigos del Maestro. Cada uno de ellos selló su doctrina con su sangre en el exilio, la tortura y el martirio. A continuación presentaremos una lista del destino doloroso de los apóstoles de acuerdo a los recuentos tradicionales.

- Mateo sufrió el martirio siendo decapitado por espada en una ciudad distante de Etiopía.

- Marcos murió en Alejandría (Egipto) después de ser cruelmente arrastrado en medio de las calles de tal ciudad.

- Lucas fue colgado de un árbol de olivo en la tierra clásica de Grecia.

- Juan fue puesto en una olla enorme que hervía con aceite, no obstante escapó de la muerte milagrosamente, y luego fue enviado a la Isla de Patmos, donde vivió sus últimos días.

- Pedro fue crucificado de cabeza en Roma.

- Santiago, el Grande, fue decapitado en Jerusalén.

- Santiago, el Pequeño, fue arrojado desde el pináculo del templo y luego azotado con bastones hasta la muerte.

- Bartolomé fue despellejado vivo.

- Andrés fue amarrado a una cruz, de donde predicó a sus perseguidores hasta morir.

- Tomás fue traspasado con una lanza en Coromandel en las Indias Orientales.

- Judas fue muerto a flechazos.

- Matías fue apedreado y luego decapitado.

- Bernabé de los gentiles fue apedreado hasta morir en Salónica.

- Pablo, después de varias torturas y persecuciones, por último fue decapitado en Roma por el emperador Nerón.

-

Justificación bíblica de la resurrección de Jesús el Mesías

Rev. Dr. Don L. Davis

	Razones para su resurrección	Textos bíblicos
1	Para cumplir la profecía de las sagradas Escrituras	Sal. 16.9-10; 22.22; 118.22'24
2	Para demostrar su verdadera identidad	Hch 2.24; Rom 1.1-4
3	Para realizar la promesa del pacto davidico	2 Sam. 7.12-16; Sal. 89.20-37; Isa. 9.6-7; Luc. 1.31-33;Hch.2.25-31
4	Para ser el origen de vida eterna para todos los que creen en él	Juan 10.10-11; 11.25-26; Efe. 2.6; Col. 3.1-4; 1 Juan 5.11-12
5	Para ser el origen del poder de la resurrección para que otros resuciten	Mat. 28.18; Efe. 1.19-21; Fil. 4.13
6	Para ser exaltado como Cabeza de la Iglesia	Efe. 1.20-2
7	Para demostrar que la imputación de Dios de nuestra justicia ha sido completada	Rom 4.25
8	Para reinar hasta que todos sus enemigos sean puestos debajo de sus pies	1 Cor. 15.20-28
9	Para llegar a ser las primicias de la resurrección futura	1 Cor. 15.20-23
10	Para afirmar la autoridad que Dios le dio de volver a tomar su vida	Juan 10.18

A P É N D I C E   3 3

Hacia una hermenéutica de compromiso crucial

Rev. Dr. Don L. Davis

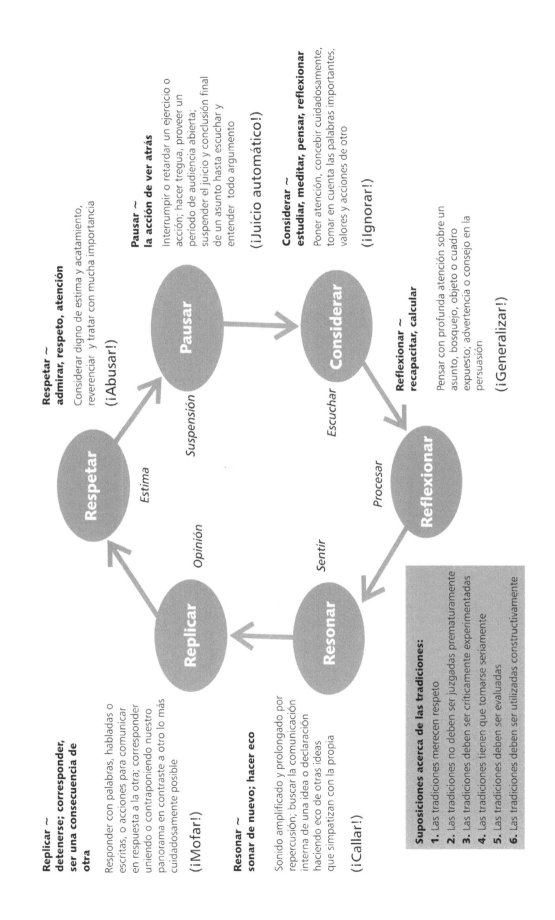

**Respetar ~
admirar, respeto, atención**

Considerar digno de estima y acatamiento, reverenciar y tratar con mucha importancia

(¡Abusar!)

**Pausar ~
la acción de ver atrás**

Interrumpir o retardar un ejercicio o acción; hacer tregua, proveer un período de audiencia abierta; suspender el juicio y conclusión final de un asunto hasta escuchar y entender todo argumento

(¡Juicio automático!)

**Considerar ~
estudiar, meditar, pensar, reflexionar**

Poner atención, concebir cuidadosamente, tomar en cuenta las palabras importantes, valores y acciones de otro

(¡Ignorar!)

**Reflexionar ~
recapacitar, calcular**

Pensar con profunda atención sobre un asunto, bosquejo, objeto o cuadro expuesto; advertencia o consejo en la persuasión

(¡Generalizar!)

**Replicar ~
detenerse; corresponder, ser una consecuencia de otra**

Responder con palabras, habladas o escritas, o acciones para comunicar en respuesta a la otra; corresponder uniendo o contraponiendo nuestro panorama en contraste a otro lo más cuidadosamente posible

(¡Mofar!)

**Resonar ~
sonar de nuevo; hacer eco**

Sonido amplificado y prolongado por repercusión; buscar la comunicación interna de una idea o declaración haciendo eco de otras ideas que simpatizan con la propia

(¡Callar!)

Suspensión
Estima
Opinión
Escuchar
Procesar
Sentir

Suposiciones acerca de las tradiciones:

1. Las tradiciones merecen respeto
2. Las tradiciones no deben ser juzgadas prematuramente
3. Las tradiciones deben ser críticamente experimentadas
4. Las tradiciones tienen que tomarse seriamente
5. Las tradiciones deben ser evaluadas
6. Las tradiciones deben ser utilizadas constructivamente

APÉNDICE 34

Diagrama de estudios bíblicos

Rev. Dr. Don L. Davis

Tipo de crítica	La tarea en el estudio bíblico	Qué estudia	La Biblia se ve como	Nivel de la prueba	Fortalezas	Debilidades	Nivel de crítica
Crítica de forma	Se remonta a las tradiciones orales e historias más tempranas asociadas con los textos	Tradiciones orales del pueblo de Dios, juntamente con la Iglesia primitiva	Producto de la tradición humana	Bajo	Sentido de desarrollo del origen de la Biblia	Muy especulativo	Más alto
Crítica de fuente	Descubre las fuentes usadas en la creación de los libros	Compara textos en varios libros para ver similitudes y contradicciones	Producto de la ingenuidad humana	Bajo	Habilidad para identificar fuentes clave	No hay forma de probar sus demandas	Más alto
Crítica lingüística	Estudia los idiomas antiguos, sus palabras y gramática	Estudia el hebreo antiguo, el griego Koiné y el arameo	Producto de la cultura humana	Medio	Profundiza en el significado del idioma antiguo	Está muy lejos del idioma	Más alto
Crítica textual	Compara los varios manuscritos para encontrar la mejor lectura	Se enfoca en los diferentes manuscritos y sus familias de textos	Producto de investigación textual	Alto	Multitud de manuscritos confiables disponibles	Un número demasiado extenso	Más bajo
Crítica literaria	Determina el autor, estilo, recipiente y género	Diferentes tipos de literatura y trasfondo de libros	Producto del genio literario	Alto	Descubre qué tipos de literatura significan	Se tiende a leer demasiado	Más bajo

Diagrama de estudios bíblicos (continuación)

Tipo de crítica	La tarea en el estudio bíblico	Qué estudia	La Biblia se ve como	Nivel de la prueba	Fortalezas	Debilidades	Nivel de crítica
Crítica canónica	Analiza la aceptación de la Iglesia, la revisión y el uso del texto	Historia de la Biblia en el antiguo Israel y la Iglesia primitiva (concilios, convenciones)	Producto de la comunidad religiosa	Alto	Toma en cuenta la opinión de la comunidad seriamente	Tiende a hacer de la Biblia meramente un grupo de libros	Más alto
Crítica de redacción	Se enfoca en la teología de la persona que la escribió	Estudio intenso de los libros individuales para entender el significado del tema del autor y punto de vista	Producto de la personalidad creativa	Medio	Profundo análisis de una colección completa de los escritos de un autor	No correlaciona la Biblia con otros libros	Más alto
Crítica histórica	Investiga la ubicación histórica, cultural y de trasfondo	Investiga las culturas antiguas, sus costumbres e historia	Producto de fuerzas históricas	Medio	Firmeza en los asuntos históricos del texto	Está muy separado de la historia	Más alto
Estudios de traducción	Provee una traducción clara y leíble basada en los mejores manuscritos	Entiende el lenguaje de la cultura recipiente con los significados del texto para la mejor traducción	Producto de interpretación dinámica	Medio	Persigue una versión de la Biblia en la lengua y pensamiento del mundo del lector	Refleja nuestras propias opiniones sobre el significado del texto	Más bajo

A P É N D I C E   3 5

La vida de Cristo de acuerdo a las estaciones y años

Adaptado de Ray E. Baughman, La Vida de Cristo Visualizada

Eventos clave - Primavera	Mateo	Marcos	Lucas	Juan
- Nacimiento en Belén, pastores, ángeles			2.1-20	1.14
- Adoración de Simeón, Ana,			2.31-38	
- Adoración de los magos	2.1-12			
- Matanza de los niños de Belén	2.16-18			
- Hacia Egipto (Huida de José, María y Jesús)	2.13-15			
- Exilio egipcio termina, se mudan a Nazaret	2.19-23		2.39-40	
- Búsqueda de Jesús (12 años de edad, visita a Jerusalén)			2.41-52	
- Caná, convierte el agua en vino (primer milagro)				2.1-11
- Capernaúm (primer viaje a su futuro hogar)				2.12
- Rechazo violento (1ro) en Nazaret			4.16-31	
- Gran pesca, llamado de los discípulos (Galilea)	4.18-22	1.16-17	5.1-11	
- Endemoniado sanado (Capernaúm)		1.21-22	4.31-37	
- Suegra de Pedro sanada	8.14-17	1.29-30; 1.35-36	4.38-44	
- Viaje a Galilea (2do) con cuatro discípulos	4.23-25			
- Leproso sanado	8.2-4	1.40-41	5.12-16	
- Azotea abierta para hombre enfermo (enviado a Jerusalén) (Capernaúm)	9.1-8	2.1-2	5.17-26	
- Llamado de Mateo (Capernaúm)	9.9-17	2.13-14	5.27-39	

Eventos clave - Verano	Mateo	Marcos	Lucas	Juan
- Primera Pascua durante el ministerio (Jerusalén)				2.13
- Primera limpieza del templo (Jerusalén)				2.14
- Entrevista de Nicodemo,(Jerusalén)				3.1-21
- Juan y Jesús en Judea				3.22-26
- Jesús deja Judea mientras Juan es encarcelado (Maqueronte)	4.12	1.14	3.19-20	4.1-4
- Hombre impotente en el estanque (Jerusalén)				5.1-47
- Los discípulos recogen espigas (Galilea)	12.1-8	2.23	6.1-5	
- Hombre con la mano seca (Capernaúm)	12.9	3.1-12	6.6-11	
- Jesús escoge a los doce apóstoles (Galilea)		3.13	6.12	
- Sermón del monte (cuernos de Hattin)	5.1-8.1		6.17	
- Siervo del Centurión sanado (Capernaúm)	8.5-13		7.1-10	
- Hijo de la viuda resucitado (Naín)			7.11	
- Discípulos de Juan investigan a Jesús (Galilea)	11.2ff.		7.18	
- Primer ungimiento de los pies de Jesús (Capernaúm)			7.36	
- Viaje a Galilea (3er) con discípulos			8.1-3	
- Endemoniado, hombre ciego-mudo sanado (Capernaúm?)	12.22-23	3.20 y sig.		
- Beelsebú cargado contra Jesús	12.46-47	3.21, 32-35	8.18-21	
- Los amigos y la familia creen que está fuera de sí				

Eventos clave - Otoño	Mateo	Marcos	Lucas	Juan
- Bautismo de Jesús (Río Jordán)	3.13-17	1.9-11	3.21-23	
- La tentación (Desierto of Judea)	4.1-11	1.12-13	4.1-13	
- Testimonio de Juan el Bautista				1.15-34
- Los primeros cinco discípulos de Jesús (Jordan)				1.35-31
- La mujer en el pozo (Sicar)				4.5-42
- Hijo de un noble es sanado (Jesús en Caná y el hijo en Capernaúm)				4.43-54
- Jesús predica en sinagogas de Galilea, es bien recibido (Primer viaje a Galilea)		1.14-15	4.14	
- Parábolas del Reino de los cielos por el mar (Capernaúm)	13.1-53	4.1-34	8.4-18	
- Calma el viento y el mar	8.18	4.35-41	8.22-25	
- Endemoniado en el cementerio, cerdos enviados al mar (Gadarenos)	8.28-34	5.1-20		
- Cruzando de regreso el mar hacia Capernaúm y cuatro milagros: la hija de Jairo resucitada, una mujer toca el manto del Mesías	9.18-26	5.21-43	8.40-56	
- Dos ciegos y un mudo endemoniado sanados	9.27-34			

La vida de Cristo de acuerdo a las Estaciones y Años (continuación)

Eventos clave - Primavera	Mateo	Marcos	Lucas	Juan
- Segundo rechazo en Nazaret	13.54-58	6.1-6		
- Los doce enviados al frente (4to. Viaje a Galilea)	9.35-11.1	6.6-13	9.1-6	
- Muerte de Juan el Bautista (Maqueronte)	14.1-12	6.14 y sig	9.7-9	
- Enseñando en Perea, advertido sobre Herodes			13.22-23	10.40-42
- Sanidad de un hombre en sábado			14.1-2	
- Parábola sobre humildad, recompensas, excusas y discipulado			14.7-14	
- Oveja perdida, moneda, hijo			15.1-32	
- El hombre rico y Lázaro			16.19-20	11.1-2
- Resurrección de Lázaro, Betania			17.11-12	11.45-54
- Quieren matar a Jesús	19.1-22 19.16	10.1-31	18.1-30	
- Diez leprosos sanados, Samaria	20.17-18	10.32-45	18.31-32	
- Oración respondida, divorcio, los niños, el joven rico	20.29-30	10.46-52	18.35-43	
- Muerte y resurrección previstas				
- Hombres ciegos de Jericó			19.1-10	
- Transformación de Zaqueo				
- Última parada, 2do. ungimiento	26.6-13	14.3-9		12.1-8

Eventos clave - Verano	Mateo	Marcos	Lucas	Juan
- Alimentación de 5,000 (Mar de Galilea)	14.13-21	6.30-31	9.10-11	6.1-2
- Caminando en el agua, discurso acerca de "El pan de Vida"				6.16-59
- Comiendo sin lavarse las manos (Capernaúm)	15.1-2	7.1-23		
- La hija de sirofenicia sanada (Fenicia)	15.21-28	7.24-30		
- Hombre sordomudo sanado		7.31-37		
- Alimentación de 4,000 (Decápolis)	15.29-38	8.1-9		
- Fariseos y saduceos buscan una señal		8.10-13		
- Precaución ante la falsa enseñanza	16.5-6	8.13-15		
- Ciego sanado en Betsaida		8.22-26		
- Confesión de Pedro (Cesarea de Filipo)	16.13-20	8.27-30	9.18-21	
- Anuncio de muerte, resurrección y segunda venida	16.21-28	8.31-32	9.22-27	
- Transfiguración (Monte Hermón)	17.1-13	9.2-13	9.28-36	
- Muchacho endemoniado sanado	17.14-21	9.14-29	9.37-43	
- Anuncio de muerte y resurrección (rumbo a Galilea)	17.22-23	9.30-32	9.43-45	
- Moneda en el pez (Capernaúm)	17.24-27	9.33-37	9.46-48	
- Instrucciones a los discípulos	18.1-5			
- Domingo - Entrada triunfal	21.1-11	11.1-11	19.29-44	12.12-19
- Lunes - Segunda limpieza del Templo	21.12-22	11.12-26	19.45-48	12.20-50
- Martes - Jesús desafiado, Discurso de los Olivos	21.23-26.16	11.27-14.11	20.1-22.6	
- Miercoles				
- Jueves - Cena de la Pascua Aposento alto Getsemaní Arresto	26.17-56	14.12-52	22.7-53	13.1-18.11
- Viernes - Crucifixión, entierro	26.57-27.66	14.53-15.47	22.54-23.56	18.12-19.42
- Sábado - en la tumba				

Eventos clave - Otoño	Mateo	Marcos	Lucas	Juan
- Fiesta de Tabernáculo/Jerusalén				7.1-8.1
- Mujer adúltera				8.2-11
- La luz del mundo				8.12-59
- Hombre ciego sanado				9.1-41
- El discurso del Buen pastor				10.1-21
- Los setenta enviados (Judea)			10.1-24	
- El buen samaritano			10.25-37	
- Cena en casa de Marta y María (Betania)			10.38-42	
- Discípulos enseñados a orar			11.1-13	
- Acusado de vínculo con Beelzebú, endemoniado sanado			11.14-36	
- Comiendo con un fariseo				
- Hipocresía denunciada (Judea)			11.37-54	
- Parábolas sobre el servicio			12.1-13.9	
- Sanidad de mujer encorvada			13.10-21	
- Fiesta de la dedicación (Jerusalén)				10.22-23
- Terremoto debido a que el ángel mueve la piedra	28.1-4			
- Mujeres visitan la tumba	28.5-8	16.1-8	24.1-8	20.1-2
- Pedro y Juan visitan la tumba		16.9-11	24.9-12	20.2-3
- Jesús se aparece a María Magdalena (Jerusalén)				20.11-18
- Jesús aparece a otras mujeres	28.9-10			
- El informe de la guardia	28.11-15			
- Jesús aparece a discípulos en el camino a Emaús (y a Simón)		16.12-13	24.13-35	
- Jesús se aparece a 10 discípulos (Tomás)		16.14	24.36-43	20.19-25
- Jesús aparece a todos (Tomás)				20.26-31
- Jesús aparece a 7 discípulos por el mar de Galilea (segundo milagro del pez)				21.1-25
- Jesús aparece a 500 discípulos (comp. 1 Cor. 15.5-7)				
- La ascensión (Hechos 1.9-12)	28.16-20	16.15-18 16.19-20	24.44-53	

APÉNDICE 36
Un ejemplo práctico de la crítica textual
Adaptado de R. C. Briggs, **Interpreting the New Testament Today.**

Marcos 1.1 Principio del evangelio de Jesucristo, Hijo de Dios.

De acuerdo al aparato crítico, los siguientes manuscritos (o grupos de manuscritos) dicen:

Ιησοῦ Χριστοῦ υἱοῦ θεοῦ

A (*Código Alejandrino*). Siglo quinto. Texto bizantino (en los Evangelios).

B (*Código Vaticano*). Siglo cuarto. Texto alejandrino (en los Evangelios y Hechos).

D (*Código Bezae*). Siglo quinto o sexto. Texto occidental.

W (*Código Freerianus). Siglo quinto. Texto occidental (en Marcos 1.1-5.30),* se conserva en Washington.

Ω (*koinè*). Grupo de manuscritos de letra minúscula uncial (estilo de letra) que datan desde el siglo séptimo. Texto occidental.

λ (*Familia 1, Grupo del Lago*). Siglo doceavo en adelante. Relacionado al texto de Cesarea de los siglos cuarto y quinto.

φ (*Familia 13, Grupo Ferrar*). Siglo doceavo en adelante. Relacionado al texto de Cesarea.

it (*Italas o Latino Antiguo*). Siglo onceavo en adelante. Texto temprano occidental (con fecha anterior a la Vulgata).

vg (*Vulgata*). Traducción al Latín autorizada, completada por Jerónimo en el 405 D.C. (Evangelios completados en el 385 D.C.). Texto occidental.

sy^P (*Peshitta*). Traducción siriaca autorizada del siglo quinto. Relacionada al texto bizantino (en los Evangelios).

sa (*Sahídica*). *Traducción cóptica (egipcia) del siglo cuarto. Texto alejandrino, con influencia occidental.*

bo (*Bohárica*). Traducción cóptica, posterior a la sahídica. Texto occidental. El aparato crítico también incluye dos manuscritos significativos que preservan lecturas más cortas.

S también designados ~ (*Código Sinaítico). Siglo cuarto. Como B (Códice Vaticano), es una representación primaria del texto alejandrino.*

Θ (*Código Koridethi*). Siglo noveno. Texto relacionado al texto alejandrino de los siglos tercero y cuarto.

APÉNDICE 37

Lecturas sobre tipología

Rev. Dr. Don L. Davis

Estudio de los símbolos fundamentales para el dominio del Nuevo Testamento

> *Ada R. Habershon,*
> ***Estudio de los Símbolos.***
> *Grand Rapids: Kregel*
> *Publishing, (1957) 1974.*
> *Pág. 19, 21*

Existen muchos pasajes en el Nuevo Testamento, los cuales no pueden entenderse sin haberse uno familiarizado de alguna manera con los tipos. La epístola a los Hebreos se refiere casi en su totalidad a referencias del Antiguo Testamento: está probado que Cristo es mejor que las sombras–mejor que Moisés, que Josué, que Abraham, que Aarón, que el primer tabernáculo, que los sacrificios levíticos, que la gran nube de testigos en la galería de héroes de la fe; y por último, que su sangre es mejor que la sangre de Abel.

A veces olvidamos que los escritores del Nuevo Testamento fueron *estudiantes del Antiguo Testamento*, el cual era *su Biblia*, y que es lógico que ellos hagan mención una y otra vez a los tipos y sombras, esperando que sus lectores se familiaricen con los mismos. *Si fallamos en mirar estas alusiones, perdemos mucho de la belleza del pasaje, y no podemos entenderlo correctamente…*

[El estudio de los tipos] nos sirve como un antídoto seguro para el veneno de la llamada "alta crítica". Si reconocemos la intención divina en cada uno de los detalles de los tipos, aunque no entendamos todas sus enseñanzas, y si creemos que existe una lección en cada incidente registrado, los ataques de la crítica moderna no nos harán daño. Probablemente no estemos lo suficientemente preparados para entender las declaraciones de estos críticos, o para responder a sus afirmaciones; pero si nuestros ojos han sido abiertos en lo que respecta a observar la belleza de los tipos, las dudas sugeridas por estos autores no nos perturbarán y no perderemos más el tiempo leyendo sus trabajos. En la medida que esta crítica destructiva crezca, lo mejor que podemos hacer es solicitar a todos (aun a los cristianos más jóvenes) a llevar a cabo un estudio tipológico de la Palabra de Dios; *ya que aunque Dios haya escondido estas cosas a los sabios y prudentes, se las revela a los niños.*

Hoy día, ¿estudiamos nosotros la Biblia de la misma manera y con los mismos métodos que el Señor y los apóstoles?

> *James DeYoung and*
> *Sarah Hurty,* ***Más allá***
> ***de lo Obvio.*** *Gresham,*
> *o: Vision House*
> *Publishing, 1995. p. 24*

Luego de haber enseñado por más de veinte años hermenéutica gramatical histórica, puedo mencionar únicamente un problema en esto: ¡no parece ser el método más usado por los escritores bíblicos! Cuando analizamos profundamente cómo los escritores bíblicos usaron la Escritura por ellos conocida, vemos que "descubren" en la misma, juzgando por su contexto original, un nuevo sentido que raramente pudo haber sido

Lecturas sobre la tipología (continuación)

imaginado por el autor. Este problema es evidente en cómo los autores del Nuevo Testamento utilizaron pasajes del Antiguo Testamento para demostrar que Jesucristo había cumplido la profecía (o remarcar algún punto teológico).

¿Podemos o debemos nosotros reproducir la exégesis del Nuevo Testamento?

S. L. Johnson responde: "Sin vacilar la respuesta es sí, aunque no tengamos la infalibilidad del Señor y sus apóstoles. Ellos son profesores confiables de la doctrina bíblica y de la hermenéutica y exégesis. No sólo podemos reproducir su metodología exegética, debemos aprender de su entendimiento acerca de las Escrituras".

◄ *James DeYoung y Sarah Hurty,* **Más allá de lo Obvio**. *p. 265*

¿Qué de la tipología como un método válido e importante en la interpretación bíblica?

[Tipología] es un acercamiento genuino ampliamente empleado en el Nuevo Testamento. Por ejemplo, los mobiliarios del tabernáculo y los asuntos asociados al mismo, el templo (el altar y los sacrificios, el velo, la cobertura de oro del arca del pacto) todos son tipos de Cristo y del reino celestial (ver Hebreos 9). Cuando aplicamos el método tipológico, debemos evitar ser demasiado abiertos o contrario a esto, limitarnos demasiado en nuestras interpretaciones. Podemos caer en el hecho de ser muy abiertos y encontrar tipos en todas partes, o ser demasiados limitados rechazando la tipología como método de estudio, creyendo que por medio del estudio histórico gramatical que los tipos fueron utilizados únicamente por los autores del NT con el propósito de basar sus enseñanzas, utilizando o "descubriendo" conceptos que raramente podrían haber imaginado los autores originales. . . .

◄ *James DeYoung y Sarah Hurty,* **Más allá de lo Obvio**. *p. 74*

Sin embargo, creemos que la tipología no debe estar separada de un estudio exegético, aunque no pueda ser completamente "regulada hermenéuticamente, sino que dé lugar a diferentes interpretaciones en la libertad del Espíritu Santo". Esto implica un sentido más profundo siendo llevado a cabo de esta manera en la historia bíblica (mire 1 Co. 10; Ro. 5).

Lecturas sobre la tipología (continuación)

Diversos usos del término *tipos* en el Nuevo Testamento

➤ *Patrick Fairbairn,*
Simbología de la
Escritura. Grand
Rapids: Kregel
Publishing. p. 42

El lenguaje de la Escritura es esencialmente popular y usa términos particulares que provienen de la libertad y variedad del lenguaje de un determinado pueblo. Rara vez (si es que hay excepciones) cuando se habla de temas que requieren un tratamiento teológico, se usan palabras precisas y uniformes para hacer posible su entendimiento, basando en esa única fuente su significado y plenitud apropiada.

La palabra tipo (griego: *typos*) no es ninguna excepción a esta regla.

- Ocurre una vez, al menos, en el sentido natural de *marca* o *impresión* hecha por una sustancia dura sobre un material más suave (Juan 20.25)

- Esto comúnmente apoya la tendencia general de *modelo, patrón, o ejemplo*, pero con una muy amplia diversidad de aplicación para entender un objeto material de adoración, o ídolo (Hch. 7.43)

- Un *marco externo* construido para el servicio de Dios (Hch. 7.44; Heb. 8.5)

- La *forma* o *copia* de una epístola (Hch. 23.25)

- Un *método de instrucción doctrinal* entregada por los primeros heraldos y maestros del evangelio (Ro. 7.17)

- Un *carácter representativo*, o en algunos aspectos, ejemplo corriente (Ro. 5.14; 1 Co. 10.11; Fil. 3.17; 1 Ts. 1.7; 1 Pe. 5.3)

Este es el uso diversificado de la palabra *tipo* en las Escrituras del Nuevo Testamento (disfrazado, sin embargo, bajo otros términos en la versión autorizada).

Es muy posible el mal uso de la tipología

➤ *J. Sidlow Baxter,*
El Asimiento
estratégico de
la Biblia.

Nos maravillamos de la capacidad y agilidad que tienen algunos hermanos bien intencionados de exhibir cosas que no están en el texto; y también con la superespiritualidad que muestran al publicar los detalles más suspicaces de la Escritura, a los cuales les otorgan un extraño significado.

"Las tres cestas blancas" que el desdichado panadero del Faraón soñó que estaban en su cabeza son para nosotros parte de una historia verdadera; pero el ver en ellas aportes recónditos sobre la doctrina de la Trinidad, hace que en parte nos riamos y que en parte lloremos. Sentimos el mismo tipo de reacción cuando se nos asegura que el cabello de la

Lecturas sobre la tipología (continuación)

novia en el Cantar de los cantares de Salomón es la masa de las naciones convertidas al cristianismo.

Todo esto sirve para que abramos los ojos y veamos que los "dos denarios" que le dio el buen samaritano al mesonero simbolizaban el Bautismo y la Cena del Señor. Sentimos pena por Mateo, Marcos, Lucas y Juan cuando otro hermano cae víctima de la "simbolomanía" y nos dice que los "cuatro cántaros" de agua que Elías ordenó se derramaran sobre el altar en el Monte Carmelo, representaban a los cuatro escritores de los Evangelios.

En cuanto al clérigo que procura persuadirnos que el barco en el cual nuestro Señor cruzó Galilea es la Iglesia de Inglaterra, mientras "los otros pequeños barcos" que lo acompañaban eran las otras denominaciones, no podemos dejar de ver la astucia de dicha declaración. Sentimos exactamente lo mismo sobre la exposición del libro de Job por parte del papa Gregorio el Grande, en la cual "los amigos" parlanchines de Job tipifican a los herejes; sus siete hijos los doce apóstoles; sus siete mil ovejas la gente fiel de Dios y sus tres mil camellos jorobados a los depravados gentiles".

Tres errores que debemos evitar en la tipología

Por lo tanto hay tres peligros que deben ser evitados:

- Limitar el símbolo, y por tanto no usarlo

- Exagerar el símbolo, y por tanto sobre usarlo

- Imaginar el símbolo, y por tanto mal usarlo

◄ J. Boyd Nicholson
Festivales de la
cosecha.

El caso contra "la perspectiva más antigua" de la tipología

El caso en contra de la tipología:

- Se ocupa sólo en descubrir "prefiguraciones" de Cristo en todo el Antiguo Testamento.

- Dios ordenó eventos, instituciones, y/o personas en el Antiguo Testamento, con el objetivo primario de que sirvieran como una "sombra" de Cristo.

Dos resultados carentes en esta hermenéutica antigua:

◄ Christopher J. H.
*Wright, **Conociendo***
a Jesús a través del
***Antiguo Testamento**.*
Downers Grove:
InterVarsity Press, 1992.
p. 115-116

Lecturas sobre la tipología (continuación)

- No hay necesidad de encontrar mucha realidad y sentido en los acontecimientos y en las personas mismas (del Antiguo Testamento), ya que sólo se trata de una colección de sombras.

- Se interpreta cada detalle oscuro del "tipo" del Antiguo Testamento como un presagio de Jesús (la hermenéutica se convierte en algo mágico, al igual que sacar un conejo de un sombrero).

Conclusión: la tipología no es *el* modo de interpretar el Antiguo Testamento. "Pero cuando volvemos y leemos todo el Salmo 2, Isaías 42 y Génesis 22, es igualmente cierto que tienen profundidades enormes sobre la verdad y el significado para que exploremos en ellas, las cuales no están *directamente* relacionadas con Jesús mismo. La simbología es un modo de ayudarnos a entender a Jesús a la luz del Antiguo Testamento. Éste no es el modo exclusivo de entender el significado del Antiguo Testamento" (Wright, 116).

Refutando los reclamos de Wright

- Jesús usó la tipología (ejemplos: la serpiente de bronce, el maná en el desierto, el templo de su cuerpo, el Buen Pastor, etc.).

- Los apóstoles y los primeros intérpretes cristianos usaron la tipología como su manera normal de leer el Antiguo Testamento (ejemplos: Moisés golpeando la roca, el viaje de la nación de Israel al desierto, Jesús como el segundo Israel, etc.).

- La Biblia se refiere a sí misma de esta forma (ejemplos: la carta a los Hebreos, el templo, el sacerdocio, etc.).

La pregunta: ¿Deberíamos usar el Antiguo Testamento como Jesús y los apóstoles lo hicieron, con alguna referencia a la *tipología*?

La hermenéutica cristológica: Jesús el Mesías conecta los testamentos

> *Norman Geisler,*
> *To Understand the*
> *Bible Look for Jesus.*
> *(1979) 2002. p. 68*

Cristo inmediatamente resume en su persona la *perfección de los preceptos del Antiguo Testamento*, la *sustancia de sombras y tipos del Antiguo Testamento*, y el *cumplimiento de pronósticos en el mismo*. Aquellas verdades de su persona que brotaban en el Antiguo Testamento florecen en el Nuevo; la linterna de la verdad profética se convierte en el foco de la revelación divina.

Lecturas sobre la tipología (continuación)

Los simbolismos del Antiguo Testamento encuentran su cumplimiento en el Nuevo Testamento de diferentes maneras: (1) Los *preceptos morales* del Antiguo Testamento se cumplen o perfeccionan en la vida y enseñanzas de Cristo. (2) Las verdades *ceremoniales* y *típicas* fueron solamente sombras de la sustancia verdadera encontrada en Cristo. (3) Las *profecías mesiánicas* dichas en el Antiguo Testamento fueron finalmente cumplidas en la historia del Nuevo Testamento. En cada una de estas relaciones puede verse que los Testamentos están inseparablemente conectados. El NT no sólo es un suplemento del AT sino que es el complemento necesario del mismo.

Como dice la carta a los Hebreos, "Proveyendo Dios alguna cosa mejor para nosotros, para que no fuesen ellos perfeccionados aparte de nosotros [creyentes del Antiguo Testamento]" (Heb. 11.40). Lo que estaba contenido en el Antiguo Testamento es explicado totalmente y en forma única en el Nuevo Testamento.

La forma en que Pablo y los apóstoles leyeron la Escritura

Como se ve claramente, el procedimiento hermenéutico el cual Pablo y los otros autores del Nuevo Testamento usan para interpretar la ley en un sentido espiritual es alegórico, ya que el significado que no es literal o inmediato se percibe a partir del texto dado. El término usual que Pablo emplea para definir la relación entre los dos niveles de intención es *typos* = forma, figura, símbolo, o prefiguración (Ro. 5.14; 1 Co. 10.6, etc.); pero en Gálatas 4.24, donde presenta a los hijos de Agar y Sara como prefiguraciones de los judíos y cristianos, dice que es una alegoría (*allegoroumena*), mostrando que Él consideraba 'los typos' como sinónimo 'de alegoría'.

◁ Manlo Simonetti,
*Interpretación bíblica
en la Iglesia Temprana
p. 11-12*

A diferencia de la terminología de Pablo, los eruditos modernos llaman a esta clase de interpretación - la cual, como veremos, gozó de un éxito inmenso y se hizo un método cristiano auténtico de leer el Antiguo Testamento - 'tipología' o 'interpretación tipológica'. En la antigüedad [es decir, en tiempos antiguos] fue llamado 'espiritual' o 'místico'.

Fue arraigado en la convicción firme de que la vieja Ley fue consecuentemente dirigida hacia el gran acontecimiento de Cristo, y que, por consiguiente, esto dejaría su significado verdadero sólo a aquellos que lo interpretaran en términos cristológicos.

APÉNDICE 38

Lecturas sobre la profecía mesiánica
Rev. Dr. Don L. Davis

Rudolph Bultmann y las predicciones de la pasión y la resurrección

➤ *Rudolph Bultmann, Teología del Nuevo Testamento Vol. 1. Trans. Kendrick Grobel. New York: Charles Scribner's Sons, 1951. pp. 29-30*

¿Y cómo pudo Jesús haber concebido *la relación de su regreso como Hijo del Hombre a su presente actividad histórica?* Él tendría que haber contado con ser removido de la tierra y levantado al cielo antes del Final Mayúsculo, la irrupción del reinado de Dios, para poder venir de allí en las nubes del cielo y realizar su oficio real. Pero, ¿cómo podría haber concebido el ser removido de la tierra?

¿Como un *traslado milagroso?* Entre sus dichos no hay rastro de alguna idea tan fantástica. ¿Como *salida por muerte natural*, entonces? Sus declaraciones tampoco hablan de algo así.

¿Por *una muerte violenta, entonces?* Pero si es así, ¿podría contar con eso con una certeza absoluta–como la conciencia de ser levantado a la dignidad de la venida del Hijo del Hombre podría presuponer?

Para estar seguro, *las predicciones de la pasión* (Mar. 8.31; 9.31; 10.33-34; comp. 10.45; 14.21, 41) predicen su ejecución como preordenada divinamente. *¿Pero puede haber alguna duda que todas son vaticinia ex eventu (latín: profetizado después del evento)?* ¡Además, no hablan de su parousia! Y las predicciones de la parousia (Mar. 8.38; 13.26-27; 14.62; Mat. 24.27, 37, 44) por parte de ellos, no hablan de la muerte y resurrección del Hijo del Hombre.

Claramente las predicciones de la parousia originalmente no tenían nada que ver con las predicciones de muerte y resurrección; es decir, en los dichos que hablan de la venida del Hijo del Hombre no está la idea que el mismo ya estaba aquí en persona y que debía ser cortado a través de la muerte antes que regresara del cielo.

Interpretación bíblica moderna: ¿No lo que sucedió sino qué predicó la Iglesia?

➤ *Rudolph Bultmann, Teología del Nuevo Testamento. Vol. 1. p. 31*

Ahora, sí es cierto que en las predicciones de la pasión el concepto judío del Mesías-Hijo-del-Hombre es reinterpretado – o mejor dicho, singularmente enriquecido – en la medida en que la idea de un Mesías o Hijo del Hombre sufriendo, muriendo, y resucitando no era conocida por el judaísmo. Pero esta reinterpretación del concepto se hizo no por Jesús mismo, sino por la Iglesia ex eventu. Por supuesto, el intento se hizo para llevar la idea del sufrido Hijo del Hombre de regreso a la perspectiva de Jesús mismo, asumiendo que Jesús se consideraba a sí mismo como el siervo de Dios en Deutero-Isaías

Lecturas sobre profecía mesiánica (continuación)

que sufre y muere por el pecador, y fusiona las dos ideas (Hijo del Hombre y Siervo de Dios) en una sola figura del Hijo del Hombre que sufre, muere y resucita. Con el mismo principio, las dudas que surgen en cuanto a la historicidad de las predicciones de la pasión hablan contra este intento. Además, la tradición de los dichos de Jesús no revela ningún rastro de una conciencia, de su parte, de ser el Siervo de Dios de Isaías 53.

[Para la Iglesia primitiva] fue totalmente más significativo e impresionante que el Señor resucitado fuera quién previamente había muerto en la cruz. Aquí también se formulan con velocidad expresiones del tipo fórmula, como indica nuevamente la tradición de 1 Corintios 15.3-4 y también la descripción en Romanos 4.25: "El cual fue entregado por nuestras transgresiones, y resucitado para nuestra justificación" – una declaración que evidentemente existió antes de Pablo y se le había transmitido a él. . . . Esto mismo se ve por las predicciones que Jesús pronunció en Marcos (y también en Mateo y Lucas) volviendo al kerygma helenista dentro de la predicación de Jesús.

◄ *Rudolph Bultmann,*
Teología del Nuevo
Testamento. Vol. 1.
pp. 82-83

Profecía mesiánica: Algo más seguro

2 Pe. 1.19-21 - Tenemos también la palabra profética más segura, a la cual hacéis bien en estar atentos como a una antorcha que alumbra en lugar oscuro, hasta que el día esclarezca y el lucero de la mañana salga en vuestros corazones [20] entendiendo primero esto, que ninguna profecía de la Escritura es de interpretación privada, [21] porque nunca la profecía fue traída por voluntad humana, sino que los santos hombres de Dios hablaron siendo inspirados por el Espíritu Santo.

Preguntas acerca de la profecía mesiánica

1. ¿Qué *dice exactamente* la profecía?

2. ¿Cómo *la pone en claro* la vida y el ministerio de Jesús?

3. ¿Cómo alumbra mi entendimiento al respecto de . . .

   ¿lo que es el *plan maestro de Dios* para establecer su gobierno reinante?

   ¿Cuáles son *las conspiraciones del enemigo* para socavarla?

   ¿*Qué podemos esperar* a medida que Dios cumple Su Palabra?

A P É N D I C E   3 9

Lecturas acerca del Nuevo Testamento

El problema: ¿Quién precisamente fue Jesús de Nazaret?

➤ *C. S. Lewis, **Mero Cristianismo**. New York: Touchstone by Simon and Schuster, (1943) 1996. p. 52*

Un hombre que no fuera más que es (un hombre) y dijera la clase de cosas que Jesús dijo, no sería un gran maestro sobre la moral. Sería un lunático - pudiéndosele comparar a alguien que dijera que es un huevo duro - o sino sería el diablo mismo. Usted debe escoger. O este hombre era, y es, el Hijo de Dios, o sino es un loco o algo peor.

Díganos claramente: ¿Eres tú el Mesías, o no?

➤ *Archibald M. Hunter, **La Obra y Palabras de Jesús**. Philadelphia: La Imprenta Westminster (1950) 1973. p. 134*

Siempre el centro de la preocupación de los judíos es la pregunta de preguntas, "¿acaso este galileo puede ser el Mesías?" Por su parte, Jesús no les da la respuesta inequívoca que ellos desean, sino que por medio de una sencilla parábola "sacada de la tradición antigua de Palestina", Juan 10.1-5, sí hace una encubierta declaración mesiánica. "Yo no soy un intruso", dice él en efecto, "sino el pastor legítimo del rebaño de Dios. No necesito señales para probar mi autoridad la cual es auténtica en sí misma: ésta yace en el hecho que mis ovejas siguen mi guía porque reconocen en mí los acentos y acciones del verdadero pastor de Israel" (vea Eze. 34).

¿Por qué Jesús no se aferró más públicamente a su identidad como Mesías, silenciando así a sus adversarios?

➤ *Archibald M. Hunter, **La Obra y Palabras de Jesús**. p. 103*

Jesús sabía que era el Mesías, lo cual da a entender en sus propios términos durante su ministerio. ¿Qué quiere decir esto? Que él era la persona por quien se estaba llevando a cabo el gobierno de Dios y se cumplían las antiguas profecías. Pero cuando Pedro o Caifás procuraron adjudicarle el título, Jesús parece ser que se rehusó a ello y se refirió a sí mismo como el Hijo del Hombre. ¿Por qué? La única respuesta convincente es que Jesús concibió su mesianismo en términos espirituales y escatológicos, no nacionalistas y políticos. Una indicación de lo que significaba para él está en su respuesta a las preguntas de Juan el Bautista. "Yo soy", él en efecto responde, "el cumplidor de la grandes profecías de Isaías (Isa. 29.18-19; 35.5-6; y 61.1), y vengo a traer sanidad, vida, y buenas nuevas a los necesitados hijos de Dios". Otra clave que él da es su modo de entrar a la ciudad santa, la cual recuerda al príncipe de paz de Zacarías (Zac. 9.9-10). No fueron los salmos de Salomón sino los cantos sirvientes de Isaías y los salmos del Sufridor Justo (22, 69, etc.) que moldearon su pensamiento como Mesías".

A P É N D I C E   4 0

Documentando su tarea

Una regla para ayudarle a dar crédito a quien merece crédito

Instituto Ministerial Urbano

El *plagio intelectual,* significa usar las ideas de otra persona como si fueran suyas sin darles el crédito debido. En cualquier tarea académica, *plagiar* o usar las ideas de otro sin darle crédito, es igual que robarle su patrimonio. Estas ideas pueden venir del autor de un libro, de un artículo que usted lea, o de un compañero de clase. El *plagio* se evita archivando e incluyendo cuidadosamente sus "notas prestadas" (notas del texto, notas al pie de la hoja del texto, notas al final de un documento, etc.), y citando las "Obras" donde aparecen las "notas prestadas", para ayudar a la persona que lee su tarea, a conocer cuando una idea es de su propia innovación o cuando la idea es prestada de otra persona.

Cómo evitar el plagio intelectual

Se requiere que agregue una cita, cada vez que use la información o texto de la obra de otra persona.

Todas las referencias de citas, tradicionalmente se han hecho de dos formas:

Cómo usar referencias de las citas

- Notas en el texto del proyecto o tarea estudiantil, agregadas después de cada cita que venga de una fuente exterior.

- La página de las "Obras citadas", está en la última hoja de la tarea. Ésta da información de la fuente citada en el proyecto o tarea.

Hay tres formas básicas de notas: *Nota parentética, Nota al pie de la página,* y *Nota al final del proyecto.* En el INSTITUTO MINISTERIAL URBANO, recomendamos que los estudiantes usen notas parentéticas porque son las más fáciles de usar. Estas notas proveen: 1) el apellido del[os] autor[es]; 2) la fecha cuando el libro fue publicado; y 3) la[s] página[s] donde se encuentra la información. El siguiente es un ejemplo:

Cómo anotar las citas en sus tareas

> Al tratar de entender el significado de Génesis 14.1-24, es importante reconocer que en las historias bíblicas "el lugar donde se introduce el diálogo por primera vez es un momento importante donde se revela el carácter del discursante . . ." (Kaiser y Silva 1994, 73). Esto ciertamente es evidencia del carácter de Melquisedec, quien confiesa palabras de bendición. Esta identificación de Melquisedec como una influencia positiva, es reforzada por el hecho que él es el Rey de Salén, ya que Salén significa "seguro, en paz" (Wiseman 1996, 1045).

Aprender como usar referencias de las citas, es altamente importante ya que este conocimiento lo tendrá que usar con cualquier otro curso, secular o teológico. De ser así, su tarea siempre será considerada con más credibilidad y confianza.

Documentando su tarea (continuación)

Cómo crear una página de "Obras citadas" al final de su tarea

Si el estudiante no adopta nuestra recomendación, tal como lo explicamos anteriormente, entonces todas las citas pueden ser incluidas *al final de cada página*, o en *la última página del proyecto* con una página de "Obras citadas". Ambas opciones deben ser así:

- Dar una lista de cada fuente que haya sido citada en esa página o en el proyecto

- En orden alfabético de apellido del autor

- Y añadir la fecha de publicación e información del editor

La siguiente es una explicación más completa de las reglas sobre citas:

1. Título

El título "Obras Citadas", debe ser usado y estar centrado en la primera línea de la página de citas (el único espacio es el margen de la hoja, no inserte ningún espacio antes del título).

2. Contenido

Cada referencia debe incluir:

- El nombre completo (primero el apellido, una coma, luego el nombre y punto)

- La fecha de publicación (año y un punto)

- El título (tomado de la tapa del libro), y cualquier información especial como impresión editada (Ed.), segunda edición (2ª Ed.), reimpresión (Reimp.), etc.

- La ciudad donde se localiza la casa editora; dos puntos, y el nombre de la editora.

3. Forma básica

- Cada pieza de información debe estar separada por un punto.

- La segunda línea de la referencia (y las siguientes líneas), debe estar tabulada una vez (una sangría).

- El título del libro debe estar subrayado (o en *cursiva*).

- Los títulos de artículos deben escribirse entre comillas (" ").

Por ejemplo:

Fee, Gordon D. 1991. *Gospel and Spirit: Issues in New Testament Hermeneutics.* Peabody, MA: Hendrickson Publishers.

Documentando su tarea (continuación)

4. Formas especiales

Un libro con autores múltiples:

> Kaiser, Walter C., y Moisés Silva. 1994. *Una Introducción a la Hermenéutica Bíblica: En Búsqueda del Significado.* Grand Rapids: Zondervan Publishing House.

Un libro editado

> Greenway, Roger S., ed. 1992. *Discipulando la Ciudad: Una Propuesta Comprensiva para Misiones Urbanas.* 2ª Ed. Grand Rapids: Baker Book House.

Un libro que es parte de una serie:

> Morris, León. 1971. *El Evangelio Según Juan.* Grand Rapids: Wm. B. Eerdmans Publishing Co. Comentario Internacional del Nuevo Testamento. Gen. Ed. F. F. Bruce.

Un artículo en un libro de referencia:

> Wiseman, D. J. "Salén". 1982. *Diccionario Nuevo de la Biblia.* Leicester, Inglaterra - Downers Grove, IL: InterVarsity Press. Eds. I. H. Marshall y otros.

(En las próximas páginas hay más ejemplos. Vea también el ejemplo llamado "Obras citadas").

Las normas para documentar obras académicas en las áreas de filosofía, religión, teología, y ética incluyen:

> Atchert, Walter S., y Joseph Gibaldi. 1985. *El Manual del Estilo de MLA.* New York: Modern Language Association.

> *El Manual de Estilo de Chicago.* 1993. 14ª Ed. Chicago: The University of Chicago Press.

> Turabian, Kate L. 1987. *Un Manual para Escritores de Tareas Universitarias, Tesis y Disertaciones.* 5ª edición. Bonnie Bertwistle Honigsblum, Ed. Chicago: The University of Chicago Press.

Para más investigación

Documentando su tarea (continuación)

Obras citadas

Fee, Gordon D. 1991. *El Evangelio y El Espíritu: Asuntos de Hermenéutica Neo Testamentaria.* Peabody, MA: Hendrickson Publishers.

Greenway, Roger S., Ed. 1992. *Discipulando la Ciudad: Una Propuesta Comprensiva para Misiones Urbanas.* 2ª Ed. Grand Rapids: Baker Book House.

Kaiser, Walter C., y Moisés Silva. 1994. *Una Introducción a la Hermenéutica Bíblica: En Búsqueda del Significado.* Grand Rapids: Zondervan Publishing House.

Morris, León. 1971. *El Evangelio Según Juan.* Grand Rapids: Wm. B. Eerdmans Publishing Co. *Comentario Internacional del Nuevo Testamento.* Gen. Ed. F. F. Bruce.

Wiseman, D. J. "Salén". 1982. En *Diccionario Nuevo de la Biblia.* Leicester, Inglaterra-Downers Grove, IL: InterVarsity Press. Eds. I. H. Marshall y otros.

Made in the USA
Coppell, TX
10 August 2021